¡Oye!

tu alma gemela
te está esperando

¡Oye!

tu alma gemela te está esperando

Marla Martenson

Título original: *Excuse Me, Your Soul Mate is Waiting*
Traducción: Rosa María Fernández Valiñas

Diseño de portada: Vivian Cecilia González
Imagen de portada: © KANNA WAKAI/amanaimages/Corbis/Latinstock

La información de este libro tiene la finalidad de ayudar a los lectores a tomar decisiones. Se presenta sólo como una obra de referencia. Ni la autora ni los editores se hacen responsables por el mal uso que se dé a la información aquí contenida. Le recomendamos con insistencia que busque páginas de internet confiables y autorizadas. Los nombres y antecedentes de todas las personas que aparecen en este libro, se cambiaron para proteger lo suficiente su identidad.

© 2009, Editorial Planeta Mexicana, S.A. de C.V.
Bajo el sello editorial DIANA
Avenida Presidente Masarik núm. 111, 2o. piso
Colonia Chapultepec Morales
C.P. 11570 México, D.F.
www.editorialplaneta.com.mx

Primera edición: julio de 2009
ISBN: 978-607-07-0179-5

Impreso en los talleres de Litográfica Ingramex, S.A. de C.V.
Centeno núm. 162, colonia Granjas Esmeralda, México, D.F.
Impreso y hecho en México – *Printed and made in Mexico*

*Dedico este libro con afecto y un amor profundo
a mi esposo, Adolfo Bringas.
Su apoyo, inspiración creativa
y paciencia me han dado el respaldo para lograr
mis nuevos proyectos.
Y este libro también está dedicado a todos
los solteros que están buscando
a su "media naranja".
Mantengan la fe. ¡Los sueños se cumplen!*

Contenido

Prólogo

por Victoria Moran

Hay una canción de música *country* cuya letra dice que "estás buscando el amor en todos los lugares equivocados". Marla Martenson, buscadora de parejas y sabia mujer, defiende que más bien es cuestión de buscarlo de todas las formas equivocadas. En este libro optimista y directo, le muestra a cualquier soltero dispuesto cómo utilizar una estrategia diferente, y cómo adoptar una forma de pensar distinta en la aventura de encontrar a la persona ideal.

No es cosa fácil. Debes estar alerta. Por ejemplo, Martenson afirma con sagacidad que buscar a la persona *perfecta* es una excelente manera de terminar solo o sola, pero, en una aparente paradoja, debes rechazar conformarte con menos de lo que mereces. ¿Cómo se supone que una persona soltera normal harta de los bares, de las citas rápidas y de estar esperando a que suene el teléfono, desarrolle este nivel de discernimiento? ¿Se supone que vas a tener algún tipo de experiencia espiritual? ¡Exacto!

En *¡Oye!, tu alma gemela te está esperando*, Martenson sigue de forma admirable la tradición de Lynn Grabhorn, creadora de esta serie de libros. De forma similar, Martenson aplica el principio de la Ley de la Atracción –espiritual, pero infinitamente práctico– a la dura vida cotidiana, en este caso el mundo de las citas, y a descubrir a esa persona con la cual quieres estar para siempre.

Este es un concepto muy necesario en esta época tan compleja. Hoy en día, no se trata de crecer, cortejar a uno o dos chicos o chicas y casarnos respetuosamente antes de que las cosas lleguen demasiado lejos. La imagen romántica de una jovencita sentada en un porche esperando al caballero cuyas visitas terminaron hace tiempo, y hasta las costumbres sobre citas de épocas recientes –"Te voy a presentar a mi cuñado"– ya son historia. Estamos viviendo en un clima en el que es común casarse varias veces y tener familias mezcladas, y en el que la mayoría de la gente lleva a su primer matrimonio una historia de relaciones anteriores y grandes expectativas sobre "El Indicado". Además, muchos de nosotros estamos en la "División Máster" del juego de las citas –tenemos treinta, cuarenta, cincuenta o sesenta años– y todos estamos ocupados con nuestro trabajo y otros compromisos. Incluso con los grupos para solteros, agencias de búsqueda de parejas y el increíble potencial de internet para establecer contactos, necesitamos algo más. Necesitamos la Ley de la Atracción.

Sé que este enfoque funciona, porque a mí me funcionó. Llevaba nueve años soltera y estaba vergonzosamente desesperada por encontrar a la persona correcta. Un día, mientras me hallaba sentada en mi desayunador, me di cuenta: "Mi vida es increíble. Tengo una hija maravillosa y la oportunidad de escribir libros para ganarme la vida. Soy dueña de mi casa y, aunque no es mi casa soñada, es mía. En verdad estoy bien". En ese entonces no había oído hablar de la Ley de la Atracción, pero sin darme cuenta la estaba poniendo en práctica al deshacerme de la desesperación y enfocarme en todo lo maravilloso de mi vida como soltera. Dos días después conocí a un caballero fascinante en una panadería. Recientemente celebramos nuestro décimo aniversario.

En este libro tan ameno, Martenson comparte otras historias con final feliz, incluida la suya: ella es una experta que practica lo que predica. *¡Oye!, tu alma gemela te está esperando* también te da consejos que puedes utilizar de inmediato y te habla de formas fáciles para poner en práctica la Ley de la Atracción; en el campo de batalla de las citas y las relaciones y también en todo lo demás que hay en tu vida. Después de todo, es tu vida –tu carácter, tu personalidad, tus pasiones y tu carisma– lo que permitirá a tu alma gemela saber que estás aquí. Y una vez que se hayan encontrado el uno al otro, serán esas cualidades en ambos las que, aun en momentos difíciles e inciertos, harán que "y vivieron felices para siempre" sea una parte de su cuento de hadas.

–Victoria Moran (www.victoriamoran.com),
oradora de superación personal
y autora de *Para vivir encantada de la vida*

Agradecimientos

Escribir este libro fue una aventura, y por ello me gustaría agradecer a varias personas especiales. Primero, a toda la gente maravillosa de Hampton Roads Publishing, en especial a Jack Jennings y a su talentoso equipo, Jane Hagaman, Tania Seymour, Sara Sgarlat, y especialmente a Susan Heim, ¡y a los otros que ayudaron a "amar" a este libro hasta que llegó a ser! Además un agradecimiento muy especial a Bettie Youngs, sin la cual este libro no se hubiera podido realizar. Ella ha sido mi amiga, mi mentora, una gran fuente de inspiración que me ha enseñado muchas cosas. Es como un ángel en mi vida.

Gracias a Bill Gladstone, mi agente, ¡por creer en mi idea y por correr el riesgo conmigo! Gracias a mi querida madre, Donna Reed, por presumirme ante todas sus amigas. A mi amado esposo, Adolfo Bringas, por ser mi alma gemela, por decirme que siguiera escribiendo y por mantenerme en el camino correcto cuando quería hacer una docena de cosas diferentes al mismo tiempo. Gracias a Rouben Terzian por decirme: "Tú puedes". Y a Daphne, quien siempre estará en mi corazón. Aunque esté en el cielo, puedo sentir que su energía brilla hacia mí.

Introducción

¡Es impresionante! ¡Lo sepas o no, acabas de atraer este libro hacia tu vida! Piensa en cuántos libros hay en el mercado sobre el tema de las citas, de las relaciones y de cómo encontrar a ese alguien especial. De todos esos libros, tú escogiste éste. Tal vez te atrajo el título. Tal vez estés familiarizado con el libro de Lynn Grabhorn, *Disculpa, tu vida te está esperando*, que habla sobre los principios de la Ley de la Atracción. O tal vez te lo regaló un amigo, o escuchaste a alguien hablar sobre él. Sea como sea que haya llegado a ti, fue el destino. No existen las coincidencias. En su libro, Lynn nos demostró que tenemos la capacidad de crear nuestra propia realidad: de entender la forma en la que nuestros sentimientos atraen todo lo que tenemos y lo que queremos hacia nuestra vida.

Yo soy una prueba viviente del poder de la Ley de la Atracción. Por ejemplo, desde muy joven quise ser actriz y hacer comerciales de televisión. Solía cantar todas las canciones de la publicidad y actuar los comerciales frente al espejo del baño. Pero, por lo general, escuchaba comentarios negativos como:

♥ Es imposible "entrar" en ese negocio.

♥ Otras personas pueden lograr el éxito, pero tú sólo podrás llegar hasta cierto nivel.

♥ Tienes las probabilidades en tu contra, así que no deberías de intentarlo tan arduamente.

17

A los dieciocho años, cuando le dije a mi abuela que me iba a vivir a Los Ángeles para convertirme en actriz, comenzó a reírse y me dijo: "Ay, Marla, ¿para qué intentarlo siquiera? ¡Tienes una oportunidad en un millón!". Lo mismo le dijo a otra adolescente de la familia que quería ser cantante profesional. "¡No creo que suceda... ella no va a lograrlo!" Esas palabras son muy peligrosas porque impregnan el mismísimo ser de una persona y llegan al subconsciente. Por suerte, yo no escucho ideas restrictivas y puedo ser muy persistente cuando quiero lograr algo. Me mudé a Los Ángeles; antes de seis meses me habían contratado para un comercial de Chevrolet a nivel nacional y de ahí seguí haciendo muchos más.

¿Alguna vez alguien ha tratado de limitar tus sueños, como mi abuela lo hizo conmigo? ¿Alguna vez te habría gustado contestar como yo: "Pero ¿por qué no? ¿Por qué no podemos hacer o convertirnos en lo que nos proponemos? ¿Por qué los sucesos fabulosos tienen que estar reservados sólo a los demás?"? La verdad es que no es así. Tenía veintiún años y trabajaba en un restaurante en Hollywood, cuando escuché a una de las recepcionistas decirle a un cliente: "Sí, trabajo aquí medio tiempo, pero en realidad soy actriz". ¡Un mes después, ella había encontrado trabajo en una telenovela! Cuando hizo ese comentario ni siquiera tenía un agente. Acababa de llegar a Los Ángeles, de un pueblito pintoresco, cuando un amigo la presentó con su agente. Al día siguiente la enviaron a una audición y consiguió el papel. Su vida cambió totalmente. Ella no se sentía ni creía ser una recepcionista en un restaurante, sino la actriz que ya era.

¡Su historia se parece mucho a la manera en la que conseguí un agente para este libro! Hará unos tres años, decidí que quería escribir un libro sobre citas. Hay muchos solteros buscando el amor de su vida, pero yo sabía que estaban cometiendo muchos errores en el juego de las citas. Como buscadora profesional de parejas, me di cuenta de que podría decir muchas cosas para ayudar a los demás. Me apasionaba y emocionaba compartir mis conocimientos con otras personas. Sin embargo, me preocupaba que el mercado ya estuviera saturado de libros sobre citas.

Pero, en lugar de dejar que el miedo y la preocupación me detuvieran, me convencí de que podía ofrecer mi propio estilo, experiencia y sentido del humor. Confiando en mis habilidades, seguí adelante y escribí un libro.

Naturalmente, lograr que te publiquen un libro no es nada fácil. Mientras mi agente buscaba un editor para mi libro, salió al mercado *¿De verdad está tan loco por ti?* Todo mundo estaba comprándolo y hablando de él, lo que dificultaba que algún editor se interesara en el mío. Mientras tanto, una compañera me regaló un ejemplar de *Disculpa, tu vida te está esperando*. Lo leí y me encantó. Se convirtió en mi "biblia" y lo releí muchas veces. Practicando las técnicas de las que hablaba, decidí iniciar mi paseo matinal afirmando y sintiendo que ya era una escritora profesional muy popular. ¡Visualizaba mi libro vendiéndose en las librerías! Después, dejé que las cosas fluyeran, no intentaba forzarlas. Solamente usé las técnicas de la Ley de la Atracción, creí que mi libro se publicaría y seguí escribiendo.

Poco tiempo después, fui a una conferencia que una escritora amiga mía daba a un grupo de mujeres, y su editor se levantó a hablar. Uno de sus libros resultó ser *Disculpa, tu vida te está esperando*. ¡Me quedé anonadada! Al terminar, me le acerqué y le dije lo mucho que me gustaba ese libro y que se había convertido en mi "biblia". Me contestó que estaban haciendo una nueva serie de estos libros, y que yo podría ser la persona perfecta para escribir uno sobre relaciones. ¡Magia pura! La Ley de la Atracción había funcionado. Aunque tardó un par de años en salir (típico del mundo editorial), no tengo la menor duda de que *sentí* y creé esta oportunidad en mi vida. Las coincidencias no existen. Probé que realmente soy cocreadora junto con el universo. Mi sueño se estaba convirtiendo en realidad. Todo dio un giro en cuanto modifiqué mi forma de pensar y la manera en la que estaba vibrando. ¡Y ahora quiero que tus sueños también se conviertan en realidad!

Con este libro vas a aprender a utilizar esos mismos principios para atraer a tu alma gemela y para que juntos puedan crear una nueva relación. Te sentirás poderoso y al mando, al magnetizar y revigorizar tus sentimientos para atraer a esa persona hacia ti. Y con los consejos prácticos y estrategias para las citas que te propongo, hay grandes posibilidades de que esa persona quiera quedarse.

En Los Ángeles tenemos un dicho: "¡Todos están buscando el negocio más grande y jugoso!". Pero con mi ayuda, tendrás aún más. ¡Aprenderás a iniciar una vida más grande y jugosa! Al llevar este tipo de vida, te transformarás en un individuo atractivo y dinámico, convirtiéndote en lo mejor para esa persona especial que te está destinada. ¿Qué quiero decir con "atractivo y dinámico"? Tu personalidad y tu alma destacarán, tu confianza en ti mismo estará muy elevada y brillarás, lo que se va a notar tanto físicamente como en forma de energía positiva. Cuando nos sentimos dinámicos, poderosos y especiales, se nota en todos los aspectos de nuestra vida.

Así que prepárate para romper con lo que Lynn Grabhorn llamó "la barrera del quiero". Prepárate para terminar con "una vida de privación programada" y para encontrar la realización. Lynn dice que: "puede dar un poco de miedo, especialmente porque significa cambiar. Pero debemos abrirnos paso si queremos convertirnos en creadores por intención, en lugar de creadores por accidente". ¿Qué pasará cuando te abras paso? ¡Estarás en el lugar perfecto para cocrear una nueva relación maravillosa!

1
La Ley de la Atracción:
una visión general

Si ya eres fanático de *Disculpa, tu vida te está esperando*, o de cualquier otro libro de la serie, ya conoces la Ley de la Atracción. Ya sabes que lo que pensamos y especialmente lo que "sentimos" puede manifestar lo que queremos en nuestras vidas. Es importante aprender a utilizar conscientemente la Ley de la Atracción. Y como reveló primero *Disculpa, tu vida te está esperando*, hay cuatro pasos fundamentales para usar bien la Ley de la Atracción a fin de cocrear cualquier cosa que quieras en tu vida. Los pasos son:

1. Identifica lo que *no* quieres.
2. Después, identifica lo que *sí* quieres.
3. Visualiza lo que quieres.
4. Espera, escucha y deja que suceda.

Eso es todo. Explicaré estos pasos más a fondo posteriormente, pero quiero que sepas ya que, al acostumbrarte al hábito de aplicar estos pasos en tu vida diaria, te darás cuenta de que las cosas mejoran en todas las áreas, no sólo en tus relaciones. Tu cuenta de banco no estará tan vacía, tendrás más energía y tus dudas y miedos irán desapareciendo poco a poco (o tal vez rápidamente). Te sentirás más en control de tu vida. Ya no tendrás "mentalidad de víctima", sintiéndote sacudido por circunstancias que parecen estar fuera de tu control. Especialmente en lo que se refiere a las relaciones, demasiadas personas terminan sintiéndose "usadas" o "victimizadas" por el sexo opuesto.

Un día del año pasado, estaba en casa de una amiga. No la había visto desde hacía unos tres años, aunque nos habíamos mantenido en contacto por correo electrónico, por el que frecuentemente me contaba "lo mal que estaban las cosas". Mientras cocinábamos algo para cenar, y después, cuando nos sentamos a platicar, se mostró muy amargada. Con más de cuarenta años, se lamentaba de todo el tiempo que perdió al decidir estar con "los hombres equivocados" durante los quince años anteriores. Pero en lugar de aceptar la responsabilidad de sus actos, hablaba como si fuera la "víctima" de esos hombres que sentía que le habían robado su juventud. Me dijo que en relaciones futuras "usaría" a los hombres para vengarse de ellos por todo lo que le habían hecho.

¿Te imaginas? ¡En lugar de utilizar su energía creativa y la Ley de la Atracción para encontrar a un hombre maravilloso, mi amiga estaba creando una realidad en la que se convertiría en una usuaria en un mundo de usuarios! Entonces decidí terminar mi relación con ella. Ahora, como hábito, ¡sólo tengo amigos positivos, que vibren en frecuencia alta! Así es como funciona la Ley de la Atracción. ¡Lo que creemos, pensamos y sentimos es lo que tendemos a manifestar o crear! Las personas que usan la Ley de la Atracción lo saben: no existen las víctimas. Sí, pueden suceder cosas, pero nos victimizamos cuando no aprendemos nada de estos sucesos. Por otra parte, ¡podemos decidir crecer con nuestras experiencias y manifestar nuestra vida más grande y mejorada! ¡Tú decides!

¡VÍCTIMAS YA NO!

Como dije, es fácil culpar a alguien más por lo que sucede en nuestras vidas: circunstancias terribles, mala suerte, gente desconsiderada, un espejo roto o un gato negro que pasó bajo una escalera. Buscamos excusas como: "Es mi mala suerte", "A mí nunca me sucede nada bueno", "No soy tan inteligente" o "Nunca voy a lograr el éxito". ¿Y qué pasa cuando decimos estas cosas? ¡Se convierten en realidad! Nuestros pensamientos se trasladan a la vida real (mira el ejercicio de la página 25). Por lo tanto, si quieres tener "buena suerte", ser inteligente o lograr el éxito, es hora de romper con ese pésimo hábito en este mismo instante. Decide no volver a creer y a vivir con la idea de que hay circunstancias externas que controlan tu vida. Deshazte de las nociones de que la mala suerte o el karma de una vida anterior tienen el poder de impedirte manifestar lo que quieres. Múdate en forma permanente de los rumbos del miedo, la negatividad y las carencias. ¿Por qué seguir viviendo en ese barrio marginal? Mejor opta por elevar tu energía y tus vibraciones. Asócialos con afirmaciones positivas y será mucho más fácil que atraigas hacia ti una vida fenomenal.

¡No eres una víctima! Llegaste a esta vida para experimentar felicidad y prosperidad. Estás aquí para progresar en la luz y en el amor, y para tener relaciones saludables y maravillosas. Te lo mereces. Mereces que todos tus deseos se realicen. Y este libro te mostrará cómo crear cualquier cosa que quieras, ya sea una relación llena de paz o un nuevo par de zapatos. Como vas a aprender, todo comienza al tener pensamientos positivos. Pero estos no lograrán la más mínima diferencia a menos que los combines con una elevación de tus vibraciones para empujar magnéticamente esos deseos que hay en tu vida. Tienes que *sentirte* dueño de lo que quieres.

¿Cómo obtener la clase de vibración magnética correcta? Quiero que entiendas, primero que nada, que estamos hechos de energía. Sé que parecemos una masa sólida que camina por esta Tierra, pero en realidad somos energía que está vibrando. Cuando tenemos pensamientos negativos, tendemos a asociarlos con sentimientos negativos, esto provoca que vibremos en una frecuencia baja. En contraste, cuando tenemos pensamientos positivos, vibramos en una frecuencia más alta. ¡Y cuando asociamos pensamientos positivos con buenos sentimientos, vibramos a un nivel que puede atraer algunas experiencias positivas hacia nuestras vidas!

Es por eso que quiero que aprendas a distinguir entre los buenos y los malos sentimientos. Cuando lo entiendas bien, tu vida empezará a cambiar. ¡Podrás crear cualquier cosa que te plazca! Los malos sentimientos están basados en el miedo. Los pensamientos basados en el miedo vibran en una frecuencia extremadamente baja. Se quedan con lo bueno que hay en ti. Y atraen cosas desagradables hacia tu vida, asegurando que obtengas más de lo mismo. Los malos sentimientos incluyen el enojo, el resentimiento, los celos, las preocupaciones y las dudas. Los buenos sentimientos incluyen el entusiasmo, el amor, la alegría, la emoción, el aprecio, el deleite y la gratitud. ¡Estos vibran en frecuencias altas y atraen las cosas buenas hacia ti! Es por eso que debes aprender cómo mantenerte dentro de las vibraciones de los buenos sentimientos el mayor tiempo posible.

MANOS A LA OBRA

Más noticias emocionantes. No estás solo en tu búsqueda para atraer y mantener buenas vibraciones. Tienes un socio de creación. A mí me gusta llamarlo Dios, pero tú puedes llamarlo como quieras: Ser Superior, Ser Interior, Guía Espiritual, Intuición, o hasta ¡Gertrudis!

No importa cómo lo llames, pero está allí, cocreando contigo. ¿No es fantástico? Y Dios te puso en esta Tierra para que puedas optimizarla. Quiere que desarrolles tu máximo potencial y que no vivas pensando en todas las cosas que crees que faltan en tu vida, incluyendo una relación maravillosa. Así que, ¡vamos a aprender los cuatro pasos de la Ley de la Atracción para que sepas cómo utilizarlos y así poder encontrar a tu alma gemela!

Tarea para encontrar a tu alma gemela

¿Qué "excusas" utilizas cuando las cosas te salen mal?

_____
_____
_____
_____
_____
_____
_____
_____
_____
_____
_____
_____
_____
_____
_____
_____
_____

2
Identifica lo que "no quieres" y lo que "sí quieres"

Aunque te aconsejé que no vivas pensando en todas las cosas que faltan en tu vida, sólo durante un momento piensa en esas cosas que no quieres en tu próxima relación. Sí, permítete un pequeño festín de autocompasión porque voy a mostrarte cómo convertir tu lista de lo que "no quieres" en una de lo que "sí quieres" poder manifestar en tu vida. El siguiente es un ejemplo de cómo atraer una gran relación hacia tu vida.

"No quiero"

❤ Ya no quiero desperdiciar mi tiempo con perdedores.

❤ Ya no quiero que los demás se aprovechen de mí.

❤ Ya no quiero hacer malas elecciones.

❤ No quiero estar soltero.

❤ No quiero que me mientan.

❤ Ya no quiero estar sola los sábados por la noche.

Ahora convierte cada uno de estos "no quiero" en una afirmación positiva de lo que te gustaría tener en tu vida en su lugar.

"Sí quiero"

- ♥ Quiero pasar el tiempo con gente interesante y maravillosa.
- ♥ Quiero tener una relación de respeto mutuo.
- ♥ Quiero hacer elecciones inteligentes en lo que respecta a las citas.
- ♥ Quiero tener una relación maravillosa con mi alma gemela.
- ♥ Quiero vivir experiencias sólo con gente honesta y sincera.
- ♥ Quiero saber que estoy causando un impacto positivo en la vida de alguien y que soy amada.
- ♥ Quiero estar enamorada y ser correspondida.

¡TEN CUIDADO!

¿Verdad que se siente bien cambiar lo que "no quieres" por afirmaciones positivas? Como mencioné anteriormente, tienes que tener cuidado de evitar concentrarte demasiado en lo que no quieres. Usa la comprensión de lo que no quieres para ayudarte a aclarar lo que sí quieres, pero ten cuidado. Algunas veces puede haber confusión entre lo que quieres y lo que no.

El sólo querer algo no va a lograr que llegue a ti si continúas obsesionándote al mismo tiempo en *no* tenerlo. Esto sólo alimenta la experiencia de no tener y dichas emociones negativas repelen lo que estás tratando de atraer. Por lo tanto, en vez de enfocarte en tu sentimiento de "ya no quiero seguir soltero" o "no quiero salir con hombres que no están libres", cámbialo por "quiero vivir una relación tierna con alguien que esté libre y sea feliz al estar conmigo". ¿Por qué? Si sólo te enfocas en lo que no quieres, tu atención constante lo hará más grande. Aún es más difícil cuando parece que estás diciendo que quieres algo, pero en realidad estás enfatizando los aspectos negativos de lo que no quieres.

Por ejemplo:

"Quiero salir de esta relación frustrante e infeliz."
"Quiero salir de deudas."
"Quiero dejar este trabajo mal pagado que no me satisface ni emocional ni creativamente."

¿Dónde está el acento? En cada uno de esos ejemplos está en lo que tú no quieres. Si le estás poniendo demasiada atención y estás pensando excesivamente en algo que en verdad no quieres, aunque esté expresado como un deseo, eventualmente se volverá en tu contra. Obviamente, no puedes escudriñar cada uno de tus pensamientos para ver si es algo "que quieres" o "que no quieres". ¡Tu cabeza explotaría! Pero aquí es donde entran tus *sentimientos*. Pon atención a cómo te sientes cuando consigues lo que quieres. Si lo que estás pensando te hace sentir cálido y dichoso y feliz como una lombriz, estás ante un "sí lo quiero". Si sientes como que hay una nube oscura sobre tu cabeza, estás ante un "no lo quiero".

En cuanto reconozcas que te estás enfocando en un indeseable "no quiero", enfócate con rapidez en lo que sí quieres o busca algo diferente en qué pensar que haga que te sientas un poco mejor. Desvía tu atención hacia tu lindo perrito, la cita que tienes programada para darte un masaje, la botella de vino que piensas disfrutar más tarde con tus amigas o el tipo guapo que trabaja en tu mismo piso. ¡Lo que sea! Y asegúrate de quedarte en ese lugar hasta que empieces a sentir que cambias de humor y que aumentan tus vibraciones. Mientras más tiempo y más a menudo logres permanecer en una frecuencia alta, más pronto comenzará a disiparse el estado negativo.

¿QUÉ ES LO QUE LOS HOMBRES Y LAS MUJERES BUSCAN REALMENTE EN UN ALMA GEMELA?

Entonces, ¿ya identificaste lo que quieres y lo que no en tu alma gemela? Si te está costando trabajo identificar lo que "sí quieres", puede serte útil leer algunas de las observaciones que recibo como buscadora profesional de parejas sobre lo que la gente quiere tener en una futura pareja. Estos son los comentarios que oigo con mayor frecuencia.

"No quiero"

Un compañero que se "adelante a los acontecimientos" en una relación. Si tu novio o novia te declaró su amor eterno en la primera cita, lo más probable es que no sea la persona que necesitas. Esa forma de actuar no es halagadora, es escalofriante. Si esa persona cree que "te conoce" tras unas cuantas horas, o unas cuantas citas, no está interesado realmente en ti. Sólo está interesado en tener a *alguien*. Esta persona podría resultar ser un acosador o algo peor. Estás mucho mejor solo que con alguien que quiere intimar tan pronto.

Un compañero que esté buscando alguien que parezca modelo. Sé que todos tenemos en mente la imagen del "hombre de mis sueños" o de la "mujer perfecta". Él debe medir más de un metro noventa y tener toda la cabeza cubierta de cabello. Ella debe pesar 50 kilos y usar un *bra* talla 36D. Pero si tu criterio para encontrar a tu alma gemela es "que parezca modelo", te tengo noticias: ¡probablemente no encuentres al amor de tu vida! Y, además, ¿en verdad quieres estar con alguien a quien le pareces sexy pero no le importa tu interior en lo más mínimo? La belleza es efímera. Busca un alma gemela que sea bella bajo la piel. Nunca sabes cómo vendrá envuelta. Sé flexible, y tal vez quedes gratamente sorprendido.

Un compañero que te avergüences de presentar a tu familia. Si alguien es tu verdadera alma gemela, estará contigo durante mucho tiempo. Me imagino que querrás estar con alguien que se integre bien con tus familiares y amigos... alguien de quien te sientas orgulloso al presentárselo a papá y mamá. No salgas con un hombre que quiera que te vistas como estrella porno. Él no te verá como "alguien para casarse" o como la madre de sus futuros hijos. Y amigos, si en verdad están buscando a su alma gemela, no salgan con alguien a quien les daría vergüenza llevar a su casa a conocer a su familia.

Un compañero que sea poco considerado con los demás. Alguien que trata mal a ciertas personas, como meseros y personal de servicio, es un maleducado. Lo más probable es que después de cierto tiempo también a ti te trate mal. Juzga a ese potencial compañero por la forma en que trata a otros. Nunca te conformes con alguien que sea grosero o desconsiderado hacia los sentimientos de los demás.

Una pareja que te vea como a un banco de esperma o un útero. Si estás desesperada por tener un bebé –y, sí, esto también se refiere a algunos hombres– no puedes permitir que esto afecte tu búsqueda de un compañero. No te conformes con alguien que no sea tu alma gemela sólo porque se le esté acabando el tiempo a tu reloj biológico.

Y si tu posible pareja saca el tema de tener hijos contigo antes de que hayan tenido la segunda cita, no dudes que te quieran usar como banco de esperma o como portabebés.

Un compañero con malos modales o poca higiene. Un alma gemela verdadera tomará en cuenta tus sentimientos y no te ofenderá con malos modales o falta de higiene. Si se pasa todas las comidas hablando por su celular, evitando conversar contigo, deshazte de él. (Si es médico o padre soltero y recibe una llamada de emergencia, ¡dale espacio, desde luego!) Si tu posible alma gemela está vestido con una camiseta y sandalias siempre que se ve contigo y ni siquiera se molesta en lavarse los dientes, quiere decir que no le importan tus sentimientos. Si eructa y libera gases en la mesa y se limpia los dientes con la carterita de los cerillos, no es el indicado para ti. Las verdaderas almas gemelas muestran su "mejor cara" aun después de las primeras citas.

Un compañero que me vea como su alcancía. ¿Tu compañero te valora sólo por lo que puedas o quieras darle económicamente? ¿Tu novia suena como Vanessa, una bella mujer que usa mi agencia para obtener citas? Cada hombre soltero que nos mandó sus observaciones sobre cómo le fue en su cita con Vanessa dijo lo mismo: "¡Es una chica de gustos caros!". Evidentemente, Vanessa apenas se está sentando cuando ya le está diciendo a su pareja que sólo viaja en primera clase, adora los diamantes, le encantaría dejar de trabajar y relajarse todo el día en la playa con una piña colada; ¡y que ni siquiera consideraría un compromiso a menos de que recibiera un anillo de diamantes amarillos de diez quilates con *baguettes* a cada lado, de un buen diseñador! Puede ser la mujer más hermosa del planeta, pero si lo que quieres es una verdadera compañera, busca a alguien que te quiera por lo que eres, no por lo que tengas en el banco.

Un compañero "arrogante". La confianza en uno mismo es atractiva; ser presumido no. Los hombres que alardean sobre cuánto dinero ganan, su estómago de lavadero o su Ferrari recién estrenado, no son buenos candidatos para alma gemela. Esta "palabrería de macho" significa que está más interesado en sí mismo que en ti. Y funciona igual en ambos sentidos. A los hombres les desagradan las mujeres que siempre están hablando de su apariencia, de su gusto por las joyas caras o de su manicura. Busca un compañero que sea modesto sobre su apariencia y sus logros.

Un compañero que "tenga gustos caros" o sea deman-dante. Nunca te conformes con un compañero que dependa completamente de ti para que lo entretengas. Las almas gemelas atractivas son independientes, no están unidos por la cadera a su compañero y tienen sus propios intereses. Cuando les pregunto a mis clientes varones si les importa qué trabajo tenga una mujer, el noventa y cinco por ciento de las veces me contestan: "No me importa lo que haga, siempre y cuando *trabaje* y esto sea algo que disfrute o la apasione". Él no quiere sentirse presionado sabiendo que ella sólo está espe-rando a que termine con su trabajo o con lo que sea que esté haciendo para que vuelva a casa a entretenerla. Cierto grado de independencia hace que una relación sea balanceada y sana.

Un compañero que hable todo el tiempo de su "ex". Verdaderamente es decepcionante tanto para los hombres como para las mujeres escuchar historias o quejas sobre el ex. Debes intentar unirte a alguien que haya dejado atrás el pasado y que esté listo para una nueva relación. Con fre-cuencia escucho comentarios tanto de hombres como de mujeres diciéndome que la persona con la que salieron no dejó de hablar de su ex. Por lo general de manera muy nega-tiva. Deja el pasado en el pasado y enfócate en la persona que está frente a ti. Y encuentra a alguien que haga eso mismo.

"Sí quiero"

Ahora que ya sabes qué es lo que *no* debes buscar en un alma gemela, es momento de cambiar de canal y considerar lo que *sí* quieres en un futuro compañero. ¡Una persona con las siguientes cualidades definitivamente tiene madera de alma gemela!

Un compañero que realmente me escuche. Una persona que te escucha demuestra que realmente está interesado en ti. Es así de sencillo. Escuchar indica respeto y aprecio por la otra persona. Muchas mujeres me dicen que una de las cosas que más las motiva de un hombre es que sepa escuchar. Y, de hecho, las mujeres dicen que la razón principal por la que empiezan a salir con alguien más o, si son casadas, para tener una relación extramatrimonial, es porque el otro hombre las escucha con gusto (¡y su pareja no!) Y, por cierto, escuchar es una tarea activa. Busca un compañero que en realidad esté escuchando lo que le digas, que haga preguntas y demuestre comprensión y deseo por escuchar más.

Un compañero inteligente. Debemos mantenernos totalmente al día de lo que sucede en el mundo. No puedo decirte cuántas veces algún caballero me ha mencionado que está buscando una dama inteligente y que pueda mantener una conversación estimulante. Al hombre le gusta tener una mujer segura de sí misma, si la lleva a alguna reunión de negocios. Y una mujer se siente más segura cuando sabe que su hombre es lo suficientemente inteligente para abrirse camino. Tu compañero y tú deben tener una inteligencia equivalente. ¡Nunca te aburrirás si vives con alguien que siempre esté aprendiendo y descubriendo!

Un compañero que se preocupe por su apariencia personal. Cuando las parejas se divorcian, una de las mayores quejas de los hombres es que sus esposas dejaron de preocuparse por su apariencia. Lo más probable es que si tu compañero descuida su aspecto, también descuide otras áreas de su vida. Busca a alguien que haga el esfuerzo de atraerte aunque lleven mucho tiempo juntos.

Un compañero que me satisfaga sexualmente. El sexo es muy importante en una relación vital. Un compañero que no esté satisfecho sexualmente buscará en otra parte. Aunque estés cansada o "no tengas ganas", haz el esfuerzo.

Pronto verás que "ya te animaste" y no lamentarás la intimidad que compartirás después con tu compañero. Busca un compañero que sea compatible contigo en la cama.

Un compañero que comparta mis intereses. Hay un dicho popular que dice que "los opuestos se atraen", pero es importante compartir algunos intereses, especialmente en áreas como las actividades sociales y recreativas. Si a él y a sus amigos les encantan las parrilladas en el jardín o no perderse ningún deporte, y tú prefieres pasar el día en el centro comercial, en cuanto empiece la temporada de futbol se irán alejando más y más. No estoy diciendo que deben tener todo en común, pero tu compañero y tú deben, por lo menos, estar dispuestos a comprometerse. Por ejemplo, no me encantan los deportes, pero fui al Mundial de Futbol de Alemania con mi marido en julio de 2006 y le eché porras a sus equipos. ¡Él estaba encantado! El solo hecho de que yo estuviera dispuesta a estar con él, haciendo lo que le gusta, lo conquistó. Busca a alguien que esté dispuesto a hacer lo mismo por ti.

Un compañero romántico y cariñoso. Una de las formas de sentirte conectado "emocionalmente" con tu enamorado es a través del tacto. Tomarse de las manos, por ejemplo, hace que las mujeres se sientan amadas y deseadas. Si tomas la mano de tu compañero mientras caminan por la calle, y él te dice entre dientes: "¡Nada de muestras públicas de afecto!", no es el indicado para ti. Claro que no necesitas a alguien que sea tan cariñoso en público que la gente a su alrededor quisiera gritar: "¡Váyanse a un hotel!", pero las pequeñas muestras de afecto –los besos en la mejilla o una caricia en la espalda– son importantes en una relación.

Un compañero con una carrera estable. Una carrera exitosa significa "protección" y "seguridad", especialmente para las mujeres que están buscando a su alma gemela. El dinero significa muchas cosas para una mujer: el lujo de poder alejarse un poco de su trabajo o su carrera para satisfacer las demandas de criar a los hijos; la seguridad de proveer el bienestar de unos padres ancianos; la protección de un retiro cómodo y seguro para su propia vejez. Es importante pensar en el mañana y prepararse para el futuro. Busca un compañero que tenga estabilidad económica. No querrás olvidar tu sueño de tener una familia, una casa bonita y todas las cosas que van incluidas en un estilo de vida desahogado sólo porque te conformaste con alguien que todavía no se ha "estabilizado".

Un compañero con un gran sentido del humor. ¡Pasa el resto de tu vida con alguien que te haga reír! Tu alma gemela no tiene que ser Robin Williams y montar un espectáculo cómico, pero poder ver el lado divertido de la vida y no ser tan serio contribuye en gran medida a ser feliz en el futuro. Busca a alguien que haga que el camino de tu vida sea placentero. Si un compañero siempre está tenso y no se ríe cuando las cosas no andan bien, lo cual es inevitable, le roba dicha a la vida y destruye el placer de estar en una relación.

Un compañero que haga su parte del trabajo. ¿Quieres pasar el resto de tu vida siendo el sirviente o el mayordomo de tu compañero? Al principio de una relación, tal vez te encante lavarle la ropa a tu chico o lavar el auto de tu novia. Pero si tú lo haces todo, mientras tu compañero espera que hagas más cada vez, empezará a crecer el resentimiento y éste se tragará la relación. Busca un compañero que haga su parte del trabajo. Cuando Katherine llega a casa tarde de la oficina, exhausta y hambrienta, sabe que no va a tener que pasarse otra hora preparando la cena para su familia. Su marido, Frank, quien tiene un horario laboral más previsible, frecuentemente ya tiene la cena en el horno cuando ella llega.

¡Hasta llegó a poner la ropa en la lavadora! A Katherine le encanta que Frank esté dispuesto a hacer parte de los quehaceres domésticos –sobre todo porque ella también tiene una vida laboral complicada– y que no se refiere a estas tareas como "trabajo de mujeres". La actitud de Frank hacia las tareas del hogar es sólo una de las cualidades que convencieron a Katherine de que él era su alma gemela.

Un compañero que tenga una buena actitud. Busca un compañero cuya actitud sea tolerante. Evita a alguien a quien le encante protestar, que sea inflexible o siempre se esté quejando. Si parece que nunca puedes darle gusto a tu pareja, sin importar cuánto te esfuerces, tendrás una vida miserable y una autoestima baja. Busca a alguien que no llene la casa de tensión e ira, alguien que pueda "tomarse las cosas con calma" cuando algo anda mal. Busca a alguien maduro emocionalmente. Si siempre tienes que andar de puntillas con tu compañero, pronto estarás viviendo en una agonía constante.

Tarea para encontrar a tu alma gemela

Identifica lo que "no quieres" al atraer a tu alma gemela

_____

_____

_____

_____

_____

_____

_____

_____

_____

_____

_____

_____

_____

_____

_____

_____

_____

_____

_____

Tarea para encontrar a tu alma gemela

Identifica lo que "sí quieres" al atraer a tu alma gemela

_____

_____

_____

_____

_____

_____

_____

_____

_____

_____

_____

_____

_____

_____

_____

_____

_____

_____

_____

3
Cómo "visualizar" lo que quieres

La Ley de Atracción universal es la fuerza más poderosa del universo. Algunas de sus interpretaciones son:

1. Obtienes lo que piensas, sea algo que quieras o no.
2. La energía atrae energía similar.
3. Eres un imán viviente.
4. Los semejantes se atraen.

Recuerda que la Ley de la Atracción nos dice que atraes lo que piensas. Para cada acción existe una reacción equivalente. Los pensamientos son importantes, pero esta es la clave: necesitamos añadir *sentimientos* a nuestros pensamientos. Como dice de una forma tan bella Lynn Grabhorn en su libro *Disculpa, tu vida te está esperando*: "¡Creamos con los sentimientos, no con los pensamientos!". ¡Me parece una frase mágica!

Todos hemos oído hablar del poder del pensamiento positivo. Bueno, el pensamiento positivo es maravilloso, pero como ya antes expresé, no es suficiente.

Tenemos que añadirle *sentimientos* buenos, exquisitos y acogedores a la mezcla. Y, así, ya tenemos algo. Es entonces cuando todo empieza a salir bien y lo que quieres y deseas se ve atraído hacia tu vida. Ahora bien, no estoy sugiriendo que te pases todo el día como un santo flotando entre nubes, fingiendo estar feliz aun cuando te acaben de despedir, se haya muerto tu gato o acabes de perder tus aretes favoritos. Pero el hecho es que lo que emitimos es lo que recibimos de regreso. Por lo tanto, como eso es ley, ¡es mejor que comencemos a poner atención a nuestros pensamientos y a cómo nos hacen *sentir*!

Por eso es que, ya que definiste lo que sí quieres en cuanto a una relación futura, el tercer paso de la Ley de la Atracción es combinar esas afirmaciones con *sentimientos de alta frecuencia*. ¡Recuerda, no se trata sólo de pensar positivamente; tienes que *sentir* positivamente! Permítete experimentar lo *bien* que se siente tener en tu vida a la persona perfecta para ti. Visualízate conociendo a esta persona, hablando con esta persona, tomándola de las manos y estando en sincronía con ella. Sueña despierto con la manera en la que te sentirías si esa persona ya estuviera en tu vida. Ve en tu mente el guión de esa película en la que tu alma gemela y tú caminan juntos hacia el atardecer. Mantenla ahí hasta que sientas lo que yo llamo un "zumbido de bienestar" y sostenlo por lo menos durante quince segundos para asegurarte de que los cambios empiezan a manifestarse. ¿No te sientes de maravilla? ¡Aquí está tu alma gemela! Se siente formidable poder estar finalmente con esta persona, como si caminaras sobre nubes. ¡Sientes fluir por todo tu cuerpo los cálidos y hormigueantes sentimientos del enamoramiento! Como tienes al compañero correcto en tu vida, la comida te sabe mejor y hasta los pajaritos cantan más dulcemente. Toda tu vida se vuelve más ligera, como si nada te molestara. ¡Estás enamorado!

Ahora, añade tu necesidad específica en medio de ese sentimiento y observa cómo se amplifica el zumbido en tu cuerpo. Estás vibrando en una frecuencia muy alta, y desde ese lugar ahora puedes atraer lo que deseas hacia tu vida.

Cuando aprendí lo divertido y sencillo que es hacer esto, tras leer el libro *Disculpa, tu vida te está esperando*, se lo conté inmediatamente a mi amiga Kristina. Le encantaron el libro y la técnica y se lo recomendó de inmediato a otra de sus amigas. Kristina, a menudo, me manda correos electrónicos para decirme que está vibrando. Y me cuenta todas las cosas maravillosas que están sucediendo en su vida. ¡Su empresa de asesoría financiera está prosperando, hace unas cuantas semanas inició otro negocio y se acaba de comprar una casa nueva! ¡Y también estoy segura de que su alma gemela está a punto de llegar!

Una forma rápida de lograr esas vibraciones es pensar en algo que te vuelva loco de felicidad. ¡Yo pienso en un gatito adorable entre mis brazos y le doy un beso en sus pequeños labios! Al hacerlo no puedo más que sentir que el amor estalla dentro de mí. Sé que puedes estar pensando: "¿Los labios de un gatito? ¡Mejor los de George Clooney!". Sea lo que sea, sólo encuéntralo y úsalo. También puedo conseguir una buena vibración cuando salgo a caminar por las mañanas, sólo con ver el sol en el cielo y todas las bellas flores y casas de mi colonia. Pienso en lo afortunada que soy por estar viva y sana, por poder dar este paseo y disfrutar la vida. ¡Sólo piensa en lo afortunado que eres al poder leer este libro, ya que hay personas que no pueden! Si tienes salud, ya posees algo por lo que vibrar. Pero es personal y debes encontrar tus propios pensamientos y sentimientos (ve el ejercicio en la página 45). Así que diviértete. Recuerda, Dios y tú están juntos en esto para que puedas descubrir la relación que te traerá mucha felicidad y satisfacción en la vida.

CREA TU PROPIO DESTINO

Me gusta lo que dice el doctor Michael Beckwith en el libro *El secreto*: "La creación siempre sucede. Cada vez que un individuo tiene un pensamiento o una forma crónica y prolongada de pensar, está en proceso de creación. Algo se va a manifestar como consecuencia de esos pensamientos". Por lo tanto, la manera en la que puedes utilizar la Ley de la

Atracción para encontrar al amor de tu vida es la misma que puedes utilizar para atraer cualquier cosa que desees. Somos los creadores de nuestro universo y cualquier deseo que queramos crear se va a *manifestar* en nuestras vidas... ¡y eso incluye a una increíble alma gemela! Si pasas la mayoría del tiempo pensando en lo malas que son tus relaciones o en lo harto que estás de salir con diferentes personas –y te *sientes* muy mal por ello–, esos sentimientos negativos atraerán sucesos que te van a dar mucho trabajo o en los que no habrá ninguna oportunidad romántica. Pero cuando diriges tus sentimientos hacia lo que quieres y hablas en un lenguaje que lo respalde, estás poniendo en marcha poderosas energías creativas para atraer lo que deseas. Puede tomar cierto tiempo acostumbrarte a manifestar afirmaciones positivas, y no negativas –y a generar sentimientos positivos en lugar de negativos–, pero no te rindas. Permite que la ley trabaje para ti. ¡Confía, cree y reconoce que tu alma gemela se dirige hacia ti en este momento!

Es divertido utilizar la Ley de la Atracción porque siempre estás esperando y anticipando que tus deseos se manifiesten. ¡Estás creando tu propio destino! Y, como nos dice la doctora Lisa Love en *Más allá del secreto*, mientras esperas a que aparezca tu alma gemela, puedes concentrarte en convertirte en una persona más sensible (ve el ejercicio de la página 46). Esto te ayudará a atraer a más personas sensibles hacia tu vida, quienes te ayudarán a amar y a disfrutar tu vida, ¡tengas o no junto a ti a esa persona especial para compartirla!

Tarea para encontrar a tu alma gemela

¿Qué pensamientos te hacen vibrar?

_____

_____

_____

_____

_____

_____

_____

_____

_____

_____

_____

_____

_____

_____

_____

_____

_____

_____

_____

_____

Tarea para encontrar a tu alma gemela

¿Cómo te puedes concentrar en ser una persona más sensible?

_____

_____

_____

_____

_____

_____

_____

_____

_____

_____

_____

_____

_____

_____

_____

_____

_____

Sigue vibrando

¿Recuerdas la canción "Buenas Vibraciones" de los Beach Boys? Cada vez que recuerdo que debo emitir "buenas vibraciones" no puedo evitar cantarla dentro de mi cabeza. Al utilizar la Ley de la Atracción, quieres vibrar y emitir buenas vibraciones para atraer a tu alma gemela.

Te expongo unos cuantos hechos interesantes sobre energía y vibraciones: mientras más densos y negativos sean tus pensamientos y sentimientos, más aislarán la energía y las vibraciones del mundo espiritual. También evitarán que tengas acceso a inspiraciones de ese reino espiritual que te ayudarán a mejorar tu vida. Y te mantendrán alejado de las vibraciones positivas que te ayudan a sentirte libre y alegre. Esa es la diferencia entre la felicidad y el dolor, la tranquilidad y el estrés, el triunfo y la frustración. Las buenas vibraciones atraen sucesos buenos hacia tu vida, mientras que las malas vibraciones atraen sucesos malos. Mientras más alegre, feliz y despreocupado estés, más alta será la correspondiente velocidad total de tus vibraciones.

Mientras más altas sean tus vibraciones, más potentes serán tus poderes de atracción. ¡Y te será más fácil atraer una persona positiva que será tu alma gemela!

MANTENER LAS BUENAS VIBRACIONES EN UN AMBIENTE DONDE HAY MALAS VIBRACIONES

Cuando estaba en secundaria no era muy popular. Mi cabello tenía un brillante tono rojo y además era pecosa, por lo que solían burlarse de mí. Todas las mañanas tomaba el autobús escolar; y sabemos que los niños pueden ser muy crueles. En ese entonces no había oído hablar de la Ley de la Atracción, pero comencé a usarla inconscientemente. Antes de salir de mi casa para tomar el autobús, pensaba cosas buenas y aumentaba mis vibraciones. Realmente lograba un buen "zumbido". Inundaba mis células de amor y con pensamientos cálidos y acogedores. Cuando llegaba a la parada y me subía al autobús, podía notar mucha diferencia en cómo me trataban los otros niños. Ahora que lo pienso, no sé cómo se me ocurrió esa idea, ¡pero funcionó!

Lo mejor que puedes hacer es vivir la vida con entusiasmo, pasión y emoción, sabiendo que en este planeta suceden cosas maravillosas y que te sientes estimulado y lleno de bendiciones por formar parte de ello. Pero, ¿cómo mantener esas *vibraciones* cuando parece que el resto del mundo está hundido en la negatividad? A todos nos bombardean con noticieros, programas de entretenimiento, compañeros de trabajo chismosos, conductores estresados en las calles, empleados descontentos en el correo, clientes de mal humor en la cola del banco, y así podría seguir eternamente.

Las buenas noticias son que tú puedes *escoger* vivir desde un puesto de poder, un lugar de paz, felicidad y relajación, para que vibres en una frecuencia más alta. ¿En verdad te sirve hacerle una señal obscena a alguien en el tráfico o enojarte porque tienes que esperar diez minutos en la fila del correo?

Créeme que me ha tocado ver clientes gritando porque tienen que esperar unos cuantos minutos. No sé si éste siga siendo el caso, pero recuerdo haber escuchado historias sobre la gente en Rusia que tenía que pasar horas en una fila sólo para obtener un poco de pan. También somos muy afortunados por tener tantas comodidades. Tenemos casi todo lo que queremos al alcance de la mano, pero nos hemos acostumbrado a tener todo en *este momento* y ya no queremos esperar por nada. Constantemente, las presiones de la vida moderna amenazan con pasar factura sobre nuestro entusiasmo. Gran parte de la vida es rutina y podemos estancarnos si no tenemos cuidado. Algo de lo que debes darte cuenta es de que cuando alguien está enojado, estresado o sencillamente está siendo grosero, no tiene nada que ver contigo. Por lo tanto, no es necesario que tú tengas ningún tipo de reacción.

Apenas el otro día, conducía mi coche y un tipo delante de mí iba a dar vuelta a la izquierda. Aunque mi semáforo estaba en verde y yo tenía el derecho de paso, dio la vuelta frente a mí, ¡y me hizo una seña grosera con el puño! Pude haberle contestado con una seña parecida, pero mejor sonreí y le dirigí una bendición. Cualquiera que fuera su problema, no me concernía. Lo que me interesaba era mantener mi energía vibrando en una frecuencia alta y no dejar que me hundiera la energía negativa de un extraño.

ES UNA COINCIDENCIA... ¿O ESTÁS IRRADIANDO BUENAS VIBRACIONES?

Sé que puedes estar pensando: *"¿Y cómo mantengo alta mi frecuencia? ¿Tengo que monitorear todo lo que pienso? ¡Parece imposible, además de agotador!"*. No, no se hace así. Eres un ser humano y, desde luego, habrá momentos en los que te sientas apagado. Son cosas que pasan. Yo intento mantenerme vibrando en una frecuencia alta –manifiesto mis afirmaciones y oraciones y recito mi guión todos los días (hablaremos de esto más adelante)– pero, recientemente, mi adorada perrita de diecisiete años, Daphne, tuvo que ser hospitalizada por una neumonía. Me sentía triste y devastada. Después de todo soy humana. Pensé que era *el fin*. No creía que pudiera curarse, pero, mientras aguardaba sentada en la sala de espera del veterinario, saqué material espiritual de mi bolsa y comencé a leerlo. Pensé en todos los momentos maravillosos que había pasado con Daphne, en que la vida es un ciclo y en que tenía que ser fuerte.

Daphne se recuperó lo más que pudo para su avanzada edad, ¡pero vi con espanto que la cuenta era de treinta mil pesos! ¡Pero si sólo pasó dos noches en el hospital! Al ver esa cuenta me sentí frustrada y desolada. Acababa de terminar de pagar la deuda que tenía en mi tarjeta de crédito y me sentía fabulosamente bien por ello, y ahora me volvía a endeudar. En cuanto me di cuenta de lo que estaba haciendo cambié el tono. Recordé que pensar y *sentir* lo que no quería (esta enorme cuenta y la deuda en la tarjeta de crédito) atraerían más de lo mismo y se me dificultaría pagar la factura. Así que recé una pequeña oración, dando gracias al universo por tener el dinero necesario para pagar la cuenta y porque Daphne estaba bien. Tres días después, fui con mi contador para pagar mis impuestos. ¿Adivina cuánto me iba a regresar el gobierno? Exactamente, treinta mil pesos. Pagué la cuenta y ahora todo está bien.

El punto es que hay momentos en los que te sentirás triste y frustrado, pero puedes darle la vuelta a esos sentimientos pensando y sintiendo en la forma adecuada, porque los pensamientos y sentimientos positivos son mucho más poderosos que los negativos. A fin de cuentas, somos los únicos responsables de nuestros propios sentimientos y reacciones y podemos escoger estar tranquilos. Hay una frase en el libro *Un curso de milagros* que dice: "¿Quieres tener la razón o quieres ser feliz?". Yo no sé lo que quieras tú, ¡pero yo quiero ser feliz! Piensa en ello la próxima vez que algún coche se te atraviese.

Tarea para encontrar a tu alma gemela

¿Qué situaciones te ponen de mal humor?

_____

_____

_____

_____

_____

_____

_____

_____

_____

_____

_____

_____

_____

_____

_____

_____

_____

_____

Tarea para encontrar a tu alma gemela

¿Ha sucedido algo tan poderoso en tu vida que no se pueda explicar como una mera coincidencia?

5

Deja de buscar y comienza a atraer

Ahora que ya conoces las técnicas básicas para usar la Ley de la Atracción, es momento de enfocarnos en el paso 4: ¡creer con todo el corazón que tu alma gemela ya está en camino! Lo más probable es que seas como la mayoría de las personas y que creas que tienes que trabajar con mucho ahínco para encontrar a esa persona. Puedes recorrer con la vista el espacio cuando sales al antro, a una fiesta, un restaurante, el gimnasio o a cualquier lugar en el que pudiera haber hombres o mujeres que sean buenos partidos. Puedes preguntar a tus amigos si conocen a alguien. Puedes poner tu foto en diferentes páginas en internet. Puedes ir a fiestas o reuniones para solteros. ¡Tomarte en serio la búsqueda de un compañero puede ser como tomar un segundo trabajo!

Por ejemplo, si decides probar en alguno de los sitios de búsqueda de pareja en internet, puedes pasarte mucho tiempo leyendo los perfiles que te envían y seleccionando los que te interesan. Después, debes escribirle a cada persona. Lo más probable es que después te pases bastante tiempo hablando por teléfono. Finalmente, te entusiasmas con alguien y decides conocerlo, ¡sólo para darte cuenta de que su foto en internet tiene como un millón de años (o ni siquiera es suya)! O que olvidó mencionarte que todavía no está divorciado o divorciada. O que se le olvidó contarte que tiene tres hijos menores de cinco años. ¡No sólo te quita mucho tiempo, también es agotador! Sólo de recordar toda la energía que dedicaba "buscando" y pensando en qué hacer para conocer al hombre de mis sueños me siento agotada.

Por lo tanto, estoy a punto de quitarte un peso de encima porque voy a sugerirte ahora mismo que dejes de buscar a tu alma gemela. Sí, eso dije, ya no tienes que vivir con la esperanza de que aparezca en el próximo evento al que asistas. Tampoco tienes que preocuparte por si será el chico o chica que está delante de ti en la fila del súper. ¡Mejor te voy a mostrar cómo *atraer* a tu alma gemela! Si haces tu trabajo interior tu alma gemela llegará a ti. Cuando tu alma gemela aparezca de pronto en el autobús o en tu clase de bicicleta fija te parecerá que fue mágico y sin esfuerzo. Podrías pensar: "¡Caramba, esto es demasiado bueno para ser verdad! ¿Mi príncipe azul va a presentarse en mi puerta así porque sí?". Bueno, no exactamente. Tienes que vivir tu vida fuera de casa. No puedes enclaustrarte en tu departamento como si fueras un sacerdote o una monja. Sal a divertirte. Acepta las invitaciones. Debes salir al mundo para conocer a la persona correcta, pero la diferencia es que cuando estés realizando estas actividades, no lo hagas con la mentalidad de encontrar "al elegido", sino pensando en pasártela bien, aprender algo nuevo o tener una buena experiencia. Será entonces cuando "por arte de magia" conocerás a la persona correcta.

POR QUÉ "BUSCAR" PUEDE SER EQUIVALENTE A PERDER

El siguiente es un ejemplo de que "buscar" te puede meter en problemas. Probablemente has oído decir que los bares y las discotecas no son los mejores lugares para conocer a alguien. Sin embargo, un bar o una discoteca pueden ser el lugar equivocado o el lugar correcto, dependiendo de quién aparezca en un momento dado. Lo que quiero que entiendas es que no existe "un lugar correcto" ni "un lugar incorrecto". Tu éxito no tiene nada que ver con el lugar, sino más bien con el hecho de que estás "buscando". Cada vez que sales a "buscar", ya sea en un bar, una tienda de comestibles o en una reunión para solteros, lo más probable es que acabes decepcionado y desanimado. Esta forma de pensar en la que "intentas desesperadamente que algo suceda", o un enfoque "esta es la noche en la que lo voy a conocer", en realidad tienen el efecto contrario.

Tengo una amiga soltera llamada Gina. Cada vez que salimos a tomar algo, en vez de pasársela bien y disfrutar mi fascinante e irresistible conversación, su cabeza no deja de dar vueltas toda la noche, como la de Linda Blair en la película *El Exorcista*, intentando ver quién está en el lugar y si entra alguien nuevo por la puerta. Realmente se pierde la noche entera por estar tan absorta viendo si su alma gemela ya llegó. Sencillamente esta no es una buena forma de vivir tu vida. Mejor muéstrate confiado ante el sexo opuesto o disfruta la compañía.

Otra amiga, Sherina, me llamó una tarde al trabajo para decirme que esa noche había una reunión internacional de solteros en un restaurante francés. Quería saber si la podía acompañar, pues podría ser bueno para mi negocio. Le contesté que estaba cansada, pero me convenció para vernos ahí. Cuando llegué, la vi de pie cerca del bar, con una copa de vino en la mano, platicando con un caballero. Me acerqué y los saludé. Inmediatamente echó un vistazo a su alrededor y me dijo: "Tal vez no quieras quedarte. Realmente no hay nada bueno. No ha aparecido nadie interesante". Yo le contesté: "Puede ser, pero podríamos tomarnos una copa. Hace tiempo que no te veía". A lo que ella contestó: "Bueno, *podríamos*, pero tengo que conocer gente nueva". ¡Me dejó atónita! La miré y le dije: "¡Hazlo! Ve a conocer gente nueva. ¡Yo me voy a mi casa!".

Las demás personas se dan cuenta cuando estás actuando como desesperado para conocer a alguien. ¡Ten clase! Demuéstrale a la gente que acabas de conocer que eres capaz de disfrutar a tus amigos, además de disfrutar lo que esté pasando en ese momento. Deja que los demás vean que estás viviendo tu vida sin motivos ocultos. Entonces podrías sorprenderte gratamente con lo que pasa. Y, además, será mucho más probable que conozcas y atraigas personas de gran calidad que sepan tratar a otros con amabilidad y respeto como haces tú.

Lo mismo sucede si estás utilizando una agencia de búsqueda de pareja o usando la red para conocer a alguien especial. No necesitas tratar a cada persona con la que tengas una cita como si estuvieras esperando algo, o con el deseo desesperado de que esa persona sea la "ideal". Si vas solamente esperando conocer a alguien y disfrutar de su compañía, te quitas la presión de encima y evitas decepcionarte si no logras una relación amorosa. Quién sabe, podrías terminar logrando una nueva amistad o un contacto de negocios, o tal vez esta persona pudiera ser una buena pareja para alguno de tus amigos. ¡Relájate, sé agradable y diviértete!

SIENTE LA ENERGÍA

Y entonces, ¿cómo puedes salir del modo "búsqueda" y cambiar al modo "atracción" para encontrar a tu alma gemela? Si hubiera sabido hace veinte años cómo usar mis sentimientos para atraer lo que quiero hacia mi vida, ¡me habría ahorrado mucho dolor! Constantemente, solía intentar "hacer que sucediera". Hay una canción que cantamos en mi templo llamada "Lo libero y lo dejo ir". Me encanta, y suelo cantarla toda la semana sin siquiera darme cuenta. La letra dice: "Lo libero y lo dejo ir, dejo que el espíritu gobierne mi vida y que mi corazón se abra de par en par, sí, sólo estoy aquí gracias a Dios. No más problemas, no más conflictos, gracias a mi fe veo la luz, soy libre de espíritu, sí, sólo estoy aquí gracias a Dios". Me recuerda que puedo cederle al universo mis preocupaciones, mi tensión o los "obstáculos" que encuentro. Todo lo que tengo que hacer es cumplir con mi parte siguiendo los pasos básicos de la Ley de la Atracción.

- ❤ Identifica lo que *no* quieres.
- ❤ Después, identifica lo que *sí* quieres.
- ❤ Visualiza lo que quieres.
- ❤ Espera, escucha y deja que suceda.

Como puedes ver, "visualizar" es el "lugar correcto" para encontrar a tu alma gemela. No busques, sólo *siente*. No es difícil... ¡sólo siente la energía! La energía es creación. Con tu apasionada energía podrás atraer lo que deseas. Tal vez te estés preguntando: "Oye, ¿cómo diablos puedo sentirme apasionado sobre algo que ni siquiera tengo?". Es muy simple, aprende a elevar tus vibraciones todos los días apreciando lo que tienes. Entra diariamente en la zona de "la pasión" con tan sólo sentir gratitud por el maravilloso mundo que hay a tu alrededor.

En mi paseo matinal diario, siempre me asombran las espléndidas flores y plantas que veo. ¿De dónde salieron? ¿Cómo puede ser posible que una semillita se convierta en una preciosa flor de múltiples colores? ¿De dónde viene su colorido? ¿De dónde viene su olor? Algunas flores son moradas y se sienten como terciopelo. Otras son rojas y se sienten sólidas y cerosas. ¿Qué es lo que hace que una se sienta como terciopelo y la otra como cera? ¿Cómo diablos sucedió? Veo los colibríes, las ardillas, el precioso cielo que me cubre y mi energía sencillamente se eleva y sale disparada fuera de mí.

Cuando disfrutas tu comida favorita o escuchas una bella y conmovedora pieza de música, o alguien te sonríe, ¡estás justo en el núcleo de la pasión por la vida! Enfócate en lo bueno que hay en tu vida, en vez de enfocarte en encontrar al "hombre o la mujer ideal".

¡ACTÍVALO!

De modo que tú eres cocreador con el universo. Con tu energía optimista y tus buenos pensamientos positivos puedes lograr lo que quieras. Puedes cumplir tus deseos más descabellados. Con sentimientos buenos, cordiales y poderosos tras cada pensamiento, puedes atraer a tu alma gemela, un nuevo trabajo, un templo corporal saludable, un coche nuevo o cualquier cosa en la que enfoques tu atención. Por eso es importante que estés seguro de estar cumpliendo con la parte que te toca, saliendo todos los días, estando presente y ¡vibrando felizmente!

Es muy importante que te sientas bien mientras piensas en atraer a tu alma gemela, porque sentirte bien es lo que se emite como una señal hacia el universo y comienza a atraer lo que deseas. Por lo tanto, ¡empieza a *sentirte* magníficamente bien sobre lo que deseas! Permítete entender lo que se *siente* tener lo que quieres. Permítete creer que lo vas a conseguir y que te lo mereces. Debes visualizar lo que quieres, sentir con el corazón cómo se sentirá tenerlo y creer que lo lograrás.

Sin importar lo que estés haciendo, siempre puedes activar algún tipo de sentimiento cálido y cortés si tú lo quieres. Échalo a andar mientras te maquillas, mientras vacías la caja del gato, mientras abordas un avión o mientras haces la cena. Si tu deseo es lanzarte a una nueva vida, ¡actívalo de cualquier forma y en cualquier momento!

Tarea para encontrar a tu alma gemela

¿Qué agradeces?
¿Qué te apasiona?

_____
_____
_____
_____
_____
_____
_____
_____
_____
_____
_____
_____
_____
_____
_____
_____
_____
_____
_____
_____

6
Avívalo con pasión

Cuando entrevisto clientes en mi agencia de búsqueda de pareja, les pido que me digan algunas palabras que los describan. Una palabra que se repite con frecuencia es "apasionado". Pero, ¿qué es la pasión? Me atrae mucho la definición que dice: "emoción intensa que obliga a la acción". Cuando algo realmente te apasiona, sientes la imperiosa necesidad de actuar. Otra palabra que me gusta utilizar para aprovechar la energía de la creación es *entusiasmo*. El entusiasmo se refiere a un interés diligente e intenso; o a la admiración por una propuesta, causa o actividad. Tienes que estar animado por tus deseos, atrayendo literalmente eso que deseas con un entusiasmo total. *Fervor* es otra palabra que está cargada de poder. El fervor implica la búsqueda sostenida y enérgica de un objetivo o la devoción a una causa.

Cuando logras aprovechar la energía de la creación con pasión, entusiasmo y fervor, vives al máximo cada segundo de cada hora de cada día. Irradiarás pasión y podrás enviar esas vibraciones positivas directo al universo, ¡atrayendo lo que deseas!

Lo que atraemos no tiene nada que ver con lo que estemos haciendo físicamente, o con que seamos dignos de recibirlo, tampoco con que seamos buenas personas; sólo tiene que ver con la manera en que vibramos. Piensa en cuán apasionado te sientes cuando estás creando una comida maravillosa, componiendo una bella pieza musical, bailando tu canción favorita, pintando un cuadro o cuando estás sentado frente a la Torre Eiffel disfrutando una copa de champaña. Las personas que están comprometidas con obras de caridad, que ayudan a otras personas o cuidan del medio ambiente, sienten mucha pasión por lo que están haciendo. Lograr un cambio positivo en el mundo activa vibraciones poderosas.

Definitivamente, la palabra *pasión* entra en la misma categoría que *romance*. ¿Qué es lo que hace que el romance sea tan atractivo? En nuestra cultura, el éxtasis supremo lo encontramos en el amor romántico, sexual y apasionado. El elemento más atractivo de nuestra búsqueda del romance es el sentimiento de enamorarse. Es como una droga que ansiamos. Parece que tuviéramos un deseo innato de fundirnos con nuestra otra mitad, una involuntaria necesidad humana universal. Anhelamos la pasión que llega mientras buscamos y finalmente viene unida a nuestra alma gemela. Pero podemos hacer algo más que sólo anhelar esta pasión. Podemos generarla y permitirle que nos ayude a atraer a nuestra alma gemela hacia nosotros.

Es cierto que la pasión también puede utilizarse de manera equivocada. Ciertas mujeres pueden ser "las reinas del drama". Durante algún tiempo yo fui una de ellas. Sentía tanta pasión por todo que las cosas sin importancia tenían demasiada prioridad en mi vida; por ejemplo, cuando algún hombre dejaba de llamarme por teléfono. Me ofendía aunque supiera que no era el adecuado para mí, pero estaba tan acostumbrada al drama que me obsesionaba con ello. ¡Desde luego que sólo atraía más drama hacia mi vida! Así que es necesario dirigir la pasión hacia el lugar correcto.

La clave es utilizar correctamente el poder de la pasión. Lo que intentamos hacer es usar los *sentimientos* de la pasión para catapultarte hacia una modalidad de altas vibraciones. Cuando nos sentimos bien, vibramos con mayor velocidad, que es para lo que estamos diseñados. Intenta acercarte lo más posible a las altas vibraciones de la alegría, el entusiasmo, el aprecio, el júbilo y todas esas fabulosas sensaciones que se equiparan a la felicidad y el bienestar. Sentirse bien se siente bien, ¿o no? Cuando te *sientes* bien, vibras más cerca de tu verdadero yo. Y es entonces cuando tú y tu yo incorpóreo están en sincronía en una maravillosa alta frecuencia.

RECETA PARA ATRAER TUS DESEOS

La receta para crear cualquier cosa es realmente muy sencilla:

Toma los buenos o malos sentimientos, imprégnalos con distintos grados de emoción para aumentar el poder magnético, y el resultado es lo que hayas atraído, te guste o no.

Hasta ahora, la forma fundamental en la que hemos esculpido nuestras vidas es desde la atención incesante a todas las cosas que no queremos; por ejemplo, ya no querer salir con hombres que no sean serios o enfocarse en que todos los que "valen la pena" ya están ocupados. Por eso es importante tener una amplia comprensión de lo que son las emociones negativas, cómo detenerlas, por qué seguimos teniéndolas y cómo transformarlas en emociones positivas, pues los sentimientos apasionados se pueden usar de formas positivas y negativas.

Recientemente fui a cenar con una amiga y empezamos a contarnos los proyectos que llevábamos a cabo en ese momento. Yo le platicaba acerca de este libro y sobre lo emocionada que estaba porque todo me estaba saliendo bien. Me sentía apasionada con el proyecto e irradiaba "buenas vibraciones". Ella es una guionista que se está esforzando por ganarse la vida, y lleva varios años intentando vender cierto guión. Me contó que estaba furiosa con un tipo de Nueva York que le anuló un trato. ¡Con pasión y enfado, habló y habló sobre lo increíble que era ser tan talentosa y no tener trabajo! Comencé a sentirme muy incómoda. Sabía que ella tenía un ejemplar del libro de Lynn, *Disculpa, tu vida te está esperando*, pero me preguntaba si lo habría leído. ¡Y si lo había hecho, tenía que releerlo de inmediato! Esta chica tiene toneladas de encanto, carisma y talento, pero sus sentimientos tan apasionados de culpa, de rencor y de enfado estaban manteniendo sus deseos alejados.

Así que comprométete desde este momento a poner los siguientes ingredientes en tu coctel de pasión diario. Sólo espolvorea una dosis de pensamientos positivos sobre lo que quieras en tu vida, mézclalo con buenos sentimientos sobre ello y después agítalo con buenas vibraciones hasta que quede delicioso y burbujeante. ¡Bébelo y disfruta la energía que sentirás! Puedo verlo ahora mismo: ¡mujeres y hombres volcándose hacia ti! ¿Por qué? ¡Porque son atraídos magnéticamente hacia las estupendas vibraciones que estás mandando!

DESLÍGATE DEL RESULTADO

Para poner en práctica el paso 4 de la Ley de la Atracción en forma efectiva –esperar, escuchar y dejar que tu alma gemela llegue a ti–, te debes preparar para "desligarte del resultado". Sencillamente entiende que todo está bien y que tu deseo está en camino. No es tu trabajo preocuparte, angustiarte, obsesionarte o tratar de lograr que suceda. Ahora ya te actualizaste a ti mismo. Wayne Dyer dice que la gente que se actualiza a sí misma es la que:

1. Se independiza de la opinión de los otros.
2. No está atada a los resultados. Eso se lo dejan a Dios.
3. No invierten en tener poder sobre los demás. No están tratando de convencer o dominar a nadie con sus habilidades.

Aunque ya hayas hecho el "pedido" para que llegue tu alma gemela, confía en el tiempo del universo. No intentes apresurar las cosas ni forzar las puertas para que se abran.

Si todavía no está sucediendo nada, será porque no es el momento correcto. Existe un poder organizador detrás de todas las cosas; cuando asocies ese conocimiento y la paciencia con la práctica diaria de enfocarte en lo que quieres y de *visualizar* ese punto hacia el que estás dirigiendo las vibraciones positivas de alta frecuencia, lo vas a lograr.

Tarea para encontrar a tu alma gemela

¡Escribe tu receta personal para atraer a tu alma gemela!

Tarea para encontrar a tu alma gemela

**¿Qué otros adjetivos se asemejan a pasión,
entusiasmo o fervor?**

_____

_____

_____

_____

_____

_____

_____

_____

_____

_____

_____

_____

_____

_____

_____

_____

_____

_____

7
¡Que comience el amor!

Tarde o temprano, la mayoría de nosotros nos damos cuenta de que tener amor en nuestra vida se siente maravillosamente bien. ¡Es probable que esta sea una de las razones por las que estás leyendo este libro! El amor no sólo nos hace sentirnos bien mentalmente, sino que hay estudios que dicen que es posible que vivamos más tiempo si hay amor en nuestras vidas. ¿No te parece que el amor es poderoso? Se ha dicho que el amor es la fuerza más potente del mundo entero. ¿Existe alguna otra energía que tenga la capacidad de influir en nuestros sentimientos de forma tan fuerte como el amor? Seguramente su supremacía de poder fue lo que provocó que el gran filósofo Teilhard de Chardin dijera: "Algún día, después de haber dominado los vientos, las olas, las mareas y la gravedad, amaestraremos las energías del amor, y entonces, por segunda vez en la historia del universo, el hombre habrá descubierto el fuego". ¡Imagínate el amor comparado con el fuego!

Bettie Youngs, en su libro *Gifts of the Heart: Stories That Celebrate Life's Defining Moments* (Regalos del corazón: historias que celebran los momentos cruciales de la vida, en español), dice que:

El amor es un poderoso catalizador para transformar nuestras vidas. ¿Qué mayor fuerza, qué mayor emoción existe, ¿qué mayor regalo podría uno dar o recibir que el amor? Algunos creen que el amor es nuestra única razón de ser. Nuestra misión en la Tierra es aumentar, durante nuestra vida, la capacidad para amar. Una de las mayores tareas que tenemos que llevar a cabo durante el tiempo que estemos vivos es aprender a amar: trascender desde nuestros corazones, liderar con nuestros corazones.

Por suerte, todos tenemos la capacidad de atraer el transformador poder del amor hacia nuestras vidas.

El que podamos dar amor habla de la milagrosa determinación del corazón humano por saber lo que necesita, una y otra vez. Aun en casos en los que el corazón pierde un amor o lo rechaza porque no es el que le conviene, comienza una nueva aventura en búsqueda del amor. Como dice un refrán muy popular: ¡El amor hace girar el mundo!

Y bien, no es necesario recordar que el amor es la esencia de la vida. Pero el que lo necesitemos no significa que sepamos lo que queremos ni lo que nos conviene. Aprender lo que el amor significa para ti y para los demás, y encontrar los límites que hacen que el amor sea una segura calle de doble sentido para los dos involucrados, son sólo unas cuantas lecciones de las que tenemos que aprender en nuestra búsqueda del amor. Este acertijo prueba que el amor no sólo puede hacer girar el mundo, ¡sino que en algunos casos puede hacer que parezca que tu vida gira sin control! Entonces, Henry David Thoreau tenía razón cuando dijo: "El corazón siempre será inexperto en los temas relacionados con el amor".

DEJANDO ENTRAR AL AMOR

No te preocupes. ¡Estoy aquí para ayudarte! Tu mundo no tiene por qué girar sin control en los temas relacionados con el amor. Sólo tienes que empezar por saber lo que es un amor saludable; el que te coloca en relaciones en las que dominan el respeto mutuo, la compasión, la honestidad y la integridad. Es importante que entiendas que te mereces este tipo de amor. Y en cualquier punto en el que se encuentre tu vida en este momento, ya sea hablando de tu carrera, de finanzas, de salud o socialmente, entiende que *sí* te mereces encontrar al amor de tu vida. Como probablemente has escuchado millones de veces, la vida es un viaje. Y en cualquier etapa de ese viaje que te encuentres, confía en que puedes tener una relación maravillosa y satisfactoria si eso es lo que deseas.

"Pero, Marla", me podrías decir, "he intentado sentirme confiado de que está a punto de llegar una relación maravillosa, pero parece que no llega." Bueno, podría ser que te estés esforzando demasiado y que no estés permitiendo que suceda. Y podría ser que seas como muchos de mis clientes que están estancados en lo que yo llamo un caso grave de fastidiosos "debería". ¿Te suena familiar alguno de los siguientes?

1. *Debería* de perder peso antes de atraer al compañero ideal hacia mi vida.
2. *Debería* de cultivarme más.
3. *Debería* ser financieramente estable o tener un cierto nivel de ingresos.
4. *Debería* hacerme un implante de senos como todas mis amigas.
5. *Debería* de esperar hasta que crezcan mis hijos.

Muchas veces, estos "debería" que hay en nuestras vidas sólo son pretextos para posponer las cosas, pues tenemos miedo o no estamos dispuestos a hacer lo que sea necesario. El miedo es uno de esos sentimientos que causan vibraciones negativas y repele lo que en realidad quieres. "Pero, Marla", podrías continuar, "me parece que no estás siendo práctica. Si bajo de peso, tengo más dinero, etcétera, ¿no seré más atractivo para encontrar una pareja? ¿No te parecen objetivos deseables?".

¡Desde luego que sí! Los "debería" son objetivos válidos si realmente son metas que quieres lograr. Pero esas metas puedes cumplirlas en tu viaje por la vida. No necesitas sentir que tienes que posponer algo porque no estás donde crees que *deberías* de estar. Yo creo que "cada oveja tiene su pareja" y que a la persona perfecta para ti no le va a importar que tengas niños pequeños, que no hayas terminado tus estudios universitarios o que uses un *bra* copa A. Siempre puedes mejorar tu situación y siempre puedes mejorarte a ti mismo, pero no tienes que preocuparte ni estresarte por no poder estar en la posición "perfecta" para sostener una relación. Algunos de tus "debería" pueden ser retos y metas divertidos para que camines en la dirección en la que quieres ir. Sólo asegúrate de que siempre te imagines bajo una luz positiva, y de que te trates con amor y bondad.

CAMBIA LOS "DEBERÍA" POR METAS

Entonces, tienes que eliminar los "debería" de tu mente y reemplazarlos con metas.

Cuando escribes una meta creas un contrato contigo mismo y pones en movimiento un proceso que te ayuda a cumplirlo. Cuando crees que *deberías* de hacer algo, esto evoca sentimientos de culpa y presión. "Caramba, debería de estar haciendo esto o lo otro. ¡Si no lo hago, soy un don nadie, o no me estoy concentrando!" Cuando cambias tu lenguaje y tu modo de pensar a: "tengo algunas metas por las que estoy trabajando", le das un giro positivo y haces tu vida más divertida y emocionante. ¡Es bueno tener metas porque nos empujan a mejorar y a esforzarnos por obtener una vida más completa y jugosa!

Deja de lado tus "debería" y "podría". Las metas necesitan persistencia, paciencia y tiempo, pero confía en tener éxito.

No siempre puedes controlar el viento, pero puedes controlar tus velas.

¡Y que no se te olvide quién eres en realidad! Eres un milagro y un don. Eres Espíritu. Estás preparado para hacer cualquier cosa que desees. Cambia tus antiguas creencias limitantes sobre cuál es tu lugar. ¡Tu hombre o tu mujer ideal te amará estés donde estés!

MANTÉN ABIERTA LA VÁLVULA

Por lo tanto, todo lo que tenemos que hacer es utilizar nuestra energía para beneficio propio. Después de todo, es *nuestra* energía. Nosotros la controlamos, nadie más. Podemos atraer una relación maravillosa hacia nuestra experiencia, usando energía. Y sólo existe un tipo de energía. La energía positiva y negativa son lo mismo, sólo son formas diferentes de vibrar. Como pensamos, nos sentimos. Como sentimos, vibramos. Y como vibramos, atraemos. No necesitas analizar tu pasado, ir a terapia o recordar malas experiencias sólo para aprender a distinguir un sentimiento bueno de uno malo. Lo que parece "buena suerte" son cosas buenas que atraes hacia tu experiencia gracias a las vibraciones positivas.

No puedo decirte cuántas veces me ha pasado que mientras estoy haciendo mis cosas normales de cada día, mi mente empieza a desviarse hacia pensamientos negativos. Pocos segundos después me he pegado en la cabeza contra la esquina de la puerta de la alacena. ¡Ay! ¡La negatividad puede ser peligrosa! Me sorprende no haber sufrido daño cerebral por todas las veces que me he pegado en la cabeza al estar emitiendo energía incorrecta. Las leyes del universo trabajan con rapidez, como me han recordado en diversas ocasiones.

Lynn habla en su libro *Disculpa, tu vida te está esperando* sobre tener una válvula abierta. Tener una válvula abierta (sentirte bien) significa que hay energía positiva fluyendo hacia nosotros, a través de nosotros y desde nosotros, y que estamos creando con toda intención. Tener una válvula cerrada significa que estamos emitiendo energía negativa, resistiéndonos a nuestro flujo natural y creando de manera inconsciente.

Cuando expresamos lo que queremos y esperamos, debemos mantener nuestra válvula abierta para permitir que fluyan la energía y los sentimientos. Cuando nos sintonizamos, nos conectamos y nos sentimos bien, abrimos esa válvula mágica para permitir que el flujo de vibraciones altas circule por nuestro cuerpo. También es muy importante mantener nuestra válvula abierta cuando convivimos con alguien con quien tenemos una relación o con quien esperamos tener una relación.

Tengo un cliente, James, que definitivamente estaba funcionando con la válvula cerrada. Cercano a los cuarenta, alto, rubio, con aspecto de niño guapo, a James le ha ido bien en el aspecto económico y es bastante rico para ser tan joven. Es astuto y extravertido. Se conformaría con la típica chica mona y simpática. Ha conocido como a dos docenas de ellas a través de mi agencia y me contó que había tenido casi cien citas usando otros medios como internet. Sólo unas cuantas dieron como resultado una segunda cita. Es comprensible que se sienta frustrado y tenga sentimientos negativos. Pero la frustración y la negatividad de James comenzaron mucho antes de que llegara a la cita número cien y cada día que pasa está literalmente condenado a fracasar porque eso es lo que está esperando. Recuerda que los semejantes se atraen y que por lo general atraemos hacia nosotros lo que esperamos. Algunas de las chicas con las que hablé sobre James me dijeron que sus conversaciones telefónicas eran muy incómodas y que ni siquiera querían salir con él. Una de ellas llegó a decirme que su cita con él fue "nefasta". "Fueron dos horas de mi vida que no recuperaré jamás", me dijo.

Cuando toqué este tema con él, me dijo: "Sí, cuando llamé a esta última chica, sabía que no iba a funcionar, así que ni siquiera me importó". Su energía era tan negativa y tan baja desde el principio que no tenía ni la más mínima posibilidad de conseguir una cita con la encantadora chica que yo le había propuesto. Literalmente se había habituado y estaba cómodo en su negatividad. Ésta, de alguna forma, se convirtió en su amiga. Sabía que podía contar con que las cosas "no funcionarían", así que ni siquiera hacía el esfuerzo. Sólo cumplía con la formalidad de llamar a la chica, pero no se aseguraba de sonar interesante y optimista para que ella se emocionara por salir con él. Incluso, cuando salía con alguna chica, se sentaba frente a ella pensando "¡Esto no va a funcionar!". Y esa era la actitud y la energía que emitía.

Finalmente, lo llamé para una junta. En realidad no quería que siguiera gastando su tiempo ni su dinero y quería cambiar la situación. Comencé por contarle sobre las técnicas de Lynn y le dije que si quería atraer una relación hacia su vida, tenía que empezar a vibrar a un nivel positivo. Le expliqué que si estaba lanzando vibraciones negativas y esperando lo peor, eso era exactamente lo que se manifestaría en su vida. Le expuse las técnicas de la Ley de la Atracción que describo en este libro y le pedí que las siguiera durante un mes. No tenía nada que perder y sí todo que ganar. Él pensó que yo estaba un poco loca, pero aceptó. Tres semanas después, estaba saliendo, muy contento, con una linda maestra llamada Colleen.

Tarea para encontrar a tu alma gemela

¿Cuáles "debería" están obstaculizando que encuentres a tu alma gemela?

_____

_____

_____

_____

_____

_____

_____

_____

_____

_____

_____

_____

_____

_____

_____

_____

_____

_____

Tarea para encontrar a tu alma gemela

Anota cinco de tus metas como un "contrato" contigo mismo para mejorarte o mejorar tu vida

1. _____
   _____

2. _____
   _____

3. _____
   _____

4. _____
   _____

5. _____
   _____
   _____
   _____

8

Relacionarse por las razones correctas

Cuando pensamos en el amor, en nuestra alma gemela, en sentar cabeza y casarnos, etcétera, solemos recordar nuestros pensamientos de la niñez sobre el tema. Estos pensamientos condicionan lo que creemos y cómo esperamos que sean nuestras relaciones. Como mujer, sé que aunque la mayoría de las mujeres de hoy en día tengan una carrera, al igual que los hombres, y sean capaces de cuidar de sí mismas, todavía les gusta pensar que un hombre (el Príncipe Azul) aparecerá para subirlas en su caballo blanco; partiendo hacia la Tierra de los Sueños, donde vivirán felices por siempre. Personalmente, llevo toda mi vida trabajando. Nunca esperé que un hombre me mantuviera. Pero siempre he confiado en que el hombre de mi vida me ayude a arreglar el coche, la computadora, a cargar y descargar fotos de mi cámara digital y otras dificultades técnicas con los aparatos. Supongo que tengo la inteligencia para aprender a cambiar una bujía o para descifrar por qué en un momento dado no funciona internet, pero me encanta apoyarme en mi hombre para esas cosas que me hacen querer salir corriendo del cuarto ¡jalándome el pelo!

El ejemplo anterior es sólo uno de los tantos que hay que se refieren a las creencias y expectativas que puedes tener sobre cómo debe ser una relación. Y demasiadas personas creen que deben tener una relación, no porque quieran ni porque estén listos, sino porque eso es lo que hay que hacer.

Algunas veces la presión por estar en una relación es tan automática que ni siquiera pensamos en ello. ¿Te has fijado en que cuando estás soltero tus amigos y familiares se la pasan preguntándote: "¿Estás saliendo con alguien?" o "¿Qué tal tu vida amorosa?"? Si dices que no estás saliendo con nadie, todos quieren buscarte pareja. Todos tus amigos piensan que eres tan buen partido que, ¿por qué seguirías soltero? Por otra parte, si estás en una relación muy mala, quieren saber: "¿Por qué sigues con ese inútil?". La búsqueda del Hombre o la Mujer Ideal se ha vuelto tan popular que parece que hay millones de sitios en internet para encontrar pareja, de agencias casamenteras, libros y programas de radio sobre el tema. Adondequiera que voltees hay alguna referencia para encontrar al amor de tu vida.

Pero primero te sugiero que hagas un inventario de tu vida y decidas por qué quieres una relación en este momento. ¿Podría ser por alguna de las siguientes razones?

♥ Me siento solo.

♥ Todos mis amigos tienen una relación.

♥ No puedo pagar un buen restaurante a menos que un hombre me invite.

♥ Me siento un inútil sin una mujer a mi lado.

♥ Mi mamá no deja de preguntarme cuándo me caso.

♥ Se me está pasando el tiempo de ser mamá.

♥ Quiero sobreponerme a mi divorcio (o a mi última relación).

♥ Quiero a un hombre que me mantenga para no tener que trabajar.

♥ Quiero vengarme de alguien o hacer que se ponga celoso/a.

♥ Necesito llevar del brazo a una bella mujer para volver a sentirme un hombre de verdad.

Muchas veces la gente comienza una relación o se queda con la persona equivocada sólo porque sienten que esto es mejor que estar solos. Jenny, divorciada dos veces y madre de dos niños, tiene un buen trabajo y un grupo de amigas que le dan un magnífico apoyo, pero una y otra vez se mete en relaciones que no le dejan nada bueno. En este momento está con un hombre que la golpea y la humilla porque "es mejor que estar sola".

MEJOR SOLO QUE MAL ACOMPAÑADO

Últimamente, si veo los noticieros, parece que todos los días hay alguna historia sobre alguien (casi siempre una mujer) que está desaparecida o a quien encontraron muerta, asesinada por su ex marido o pareja. Aunque nos sintamos solos, debemos escoger con cuidado a la gente que dejamos entrar en nuestra vida.

Por eso te invito a meditar con cuidado si estás listo para iniciar una relación en este momento. Tal vez acabas de salir de una relación nefasta, o te acabas de divorciar o algún familiar falleció hace poco y necesitas sanar. No tiene nada de malo estar solo y ocupándote de ti mismo para asegurarte de que eres una persona completa, íntegra y sana, y que está lista para darse por completo a la persona correcta.

Siempre me ha gustado el dicho: "Mejor solo que mal acompañado".

Si estás de acuerdo con alguna de las siguientes frases, quieres tener una relación por las razones correctas:

- ♥ Me encanta mi vida y quiero compartir mi felicidad con alguien.
- ♥ Me siento completamente listo para encontrar a mi alma gemela y tener una relación sana.
- ♥ Tengo mucho que darle a la persona correcta.

Recuerdo cuando salía con mi ex marido. Tenía veintisiete años, vivía sola y luchaba por mantenerme, además de que mi familia vivía en otro estado. Trabajábamos juntos en un restaurante francés. Él era ayudante del jefe de cocina y yo era la cajera. Es evidente que empezó a salir conmigo porque vivía como a cuarenta y cinco minutos del trabajo y no tenía coche. Le costaba una fortuna tomar un taxi todas las noches después del trabajo. Yo vivía a unas cuantas calles del restaurante, así que empezó a quedarse a dormir conmigo. En el fondo yo sabía que me estaba utilizando, pero era muy mono y yo me sentía muy sola. Además, hablaba muy poco inglés. (Él era francés.) Como yo hablaba francés, dependía de mí para todo. Me sentía como si fuera su mamá. Estaba segura de que la relación no iba a durar eternamente, pero me casé con él. Él se casó conmigo por conveniencia, dejándome claro que no se sentía atraído hacia mí. Permanecimos juntos durante siete años, pero yo me pasé la mayor parte de ese tiempo llorando desconsolada.

Evidentemente, yo estaba funcionando en modo de desesperación, emitiendo energía hacia el universo de que no era lo suficientemente buena para tener en mi vida a alguien que me valorara, me amara y me tratara con respeto. En cuanto empecé a escribir un guión para mi vida y a realizar afirmaciones de naturaleza positiva, las cosas comenzaron a cambiar. Y, mirando hacia atrás, me di cuenta de por qué había hecho esas elecciones y poco a poco pude seleccionar mejor.

EN EL PRESENTE

Es importante aprender del pasado, pero no vivir en él. Creo que todos nosotros hicimos elecciones que desearíamos no haber hecho o que quisiéramos haber manejado en forma diferente, y eso está bien. Me encanta esta frase: "En el mundo espiritual no existe el tiempo". El maestro espiritual Stuart Wilde dice frecuentemente: "Tenemos todo el tiempo del mundo". Aprende del pasado y hónralo, pero vive en el presente y disfruta lo que está por venir. Si estás leyendo este libro, es obvio que esperas que tu alma gemela aparezca pronto, pero no hay prisa. Valórate y valora lo que tienes para ofrecer mientras emites la energía correcta para atraer al compañero correcto.

Estas son algunas cosas que puedes hacer para aumentar tu autoestima y tu amor propio:

1. **Sé más compasivo contigo mismo.** Entiende que tus "fracasos" pasados en relaciones se quedaron en el pasado. Todos cometemos errores o juzgamos las cosas de forma equivocada en algún momento. Aprende de esos momentos.
2. **Conoce tus fortalezas personales.** Haz una lista de todas las cosas que adoras de ti mismo –esas cosas que te hacen único y especial, como tus sensuales piernas largas, el brillo de tu despampanante cabello o tu sonrisa arrolladora. Si hay algo que no te gusta tanto, intenta aceptarlo o encuentra la forma de cambiarlo. Si necesitas bajar unos cuantos kilos, haz más ejercicio. Si odias el lunar que tienes en la barbilla, ve a que te lo quiten o ¡aprende a amarlo!
3. **Evita compararte con los demás.** Con todas las imágenes que nos muestran los medios de comunicación, que nos dicen que tenemos que estar muy delgados y ser ricos, algunas veces nos comparamos y sentimos que no somos lo suficientemente buenos. Recuerda que muchas veces esas imágenes están retocadas y que las usan para ganar dinero. Tú eres especial tal como eres. ¡Disfruta ser tú mismo!

Mientras aprendes a valorarte y a quererte cada vez más, descubrirás que tu paciencia aumenta mientras esperas a que tu alma gemela te encuentre. Y como te sentirás bien con tu vida y contigo mismo, el esfuerzo no será demasiado grande.

Tarea para encontrar a tu alma gemela

Escribe cinco razones por las que quieres encontrar a alguien

1. _____

_____

2. _____

_____

3. _____

_____

4. _____

_____

5. _____

_____

_____

Tarea para encontrar a tu alma gemela

¡Haz una lista de todas las cosas que adoras de ti mismo!

_____

_____

_____

_____

_____

_____

_____

_____

_____

_____

_____

_____

_____

_____

_____

_____

_____

_____

_____

_____

_____

9
Mejorando
tu capacidad de amar

Lani es una mujer divorciada de casi cincuenta años. Se ve joven, se mantiene en forma y tiene un maravilloso sentido del estilo. Tiene tres hijos; dos que ya terminaron su carrera y un adolescente en secundaria. Tiene una linda casa, un buen trabajo y muchos amigos. Cualquiera pensaría que lo tiene todo, pero Lani siente que su vida está "incompleta" porque no está casada. Dice que quiere "encontrar a alguien" y que ese es el objetivo más importante de su vida. Sus amigos describen este objetivo más como una "misión" y dicen que ella organiza casi todas sus salidas con el propósito de conseguir un hombre. Si sus amigas la invitan a salir, les sugiere ir a cierto restaurante conocido por atraer solteros. Si la invitan a una cena, pregunta si habrá "hombres disponibles". Por el momento, no ha encontrado a nadie "maravilloso" con quien salir. Al decir que "todos los hombres buenos están ocupados", se está dirigiendo hacia la zona del "conformismo". Hace poco regresó con un antiguo amor que la volvió a llamar por teléfono. Era un hombre frío emocionalmente que solía llamarla sólo cuando le convenía.

No es necesario decir que ella no está contenta con esta relación, pero piensa que es mejor estar con alguien que estar sola. Sin embargo, aunque está con ese tipo, continúa "alerta" por si encuentra un "mejor partido". Aunque podría dejarlo y abrirse más para encontrar una relación adecuada y sana, Lani está perdiendo el tiempo con un compañero incorrecto porque está convencida de que esto "es mejor que nada". ¿Lo será?

Mientras que Lani está dispuesta a estar con alguien aunque no tenga romance ni pasión, Roger no lo está. Se podría decir que él "está enamorado del amor". Para Roger, en el momento en que mueren "las llamas de la pasión" es tiempo de salir disparado a buscar una sustituta. En sus propias palabras: "El amor es pasión. Por lo tanto, en cuanto el romance se muere o desaparece, me voy. En el momento en el que ya no siento nada por la chica, sólo sigo con mi vida". En un solo año, Roger ha tenido nueve novias. Aunque al principio se mostraba optimista de que cada una de esas mujeres fuera "La Elegida", basándose en la intensidad de sus sentimientos por ella, en cuanto desaparecía la euforia –que es lo normal– Roger sentía que quería "más" y terminaba la relación. Su idea del amor es que éste es "pasión". Desde luego que no tiene nada de malo desear la pasión, pero no debe ser una de las prioridades en una relación madura, comprometida y a largo plazo.

RELACIONARSE POR LAS RAZONES EQUIVOCADAS

¿Conoces a alguien como Lani o Roger, que pasan de una relación a otra por las razones equivocadas? ¿Alguna vez te has precipitado hacia una nueva relación que al final resultó "muy mala" porque no querías dejar pasar la oportunidad de "estar con alguien" tras haber estado solo por cierto tiempo?

¿Alguna vez has terminado con alguien que te importaba porque confundiste una "disminución de la pasión" con la "muerte del amor"? Suele suceder. Cuando comienzas una nueva relación, es importante que te preguntes: "¿Estoy seguro de estar listo para amar? ¿O será que sólo quiero llenar el vacío en mi corazón, o que simplemente me encanta estar enamorado? ¿Cuál es mi motivación para buscar a alguien?".

La verdad es que no todos están buscando a su alma gemela, ni siquiera una relación a largo plazo. Algunas personas comprenden que les gusta estar solteras, y que sólo necesitan a alguien con quien divertirse de vez en cuando o alguien "fijo" sin la obligación de compartir casa o finanzas. Eso también está bien, pero sé sincero con la persona con la que estés saliendo. Si no tienes ni la más mínima intención de casarte, no le des falsas esperanzas a alguien para que piense que podrías cambiar de idea. Asegúrate de que tú y la persona con la que estás saliendo estén "en el mismo canal" sobre el futuro de esa relación. Si no quieres volver a casarte, díselo. Si no quieres tener hijos, admítelo. Muchas personas evitan esta "conversación" porque no quieren perder a la persona con la que están. Pero no es justo que hagas perder el tiempo a alguien en un sueño que nunca se convertirá en realidad. Esa persona merece poder tomar su propia decisión de junto a quién quiere estar, con base en sus propios deseos y necesidades.

ENFRENTÁNDOTE CON TU "EQUIPAJE EMOCIONAL"

Algunos de nosotros sabemos que queremos una relación a largo plazo "algún día", pero necesitamos enfrentarnos con el "equipaje emocional" que pudo habernos quedado de nuestra niñez o de relaciones anteriores. Sherry creció en una familia disfuncional. Su padre se ausentaba con frecuencia durante semanas enteras que dedicaba a apostar, intentando ganar el dinero suficiente para mantener a su familia. Cuando Sherry se casó, recién salida de la preparatoria para escapar de su complicado hogar, su nuevo marido la infravaloraba cuando expresaba sus sueños de ser alguien. Sherry lo dejó.

Como es lógico, Sherry tenía mucho "equipaje" en su vida. Le costaba trabajo confiar en los hombres y solía frecuentar a aquellos que no la trataban bien porque sentía que eso era lo que se "merecía" y que no podría conseguir nada mejor. Lo más probable era que nunca pudiera encontrar al maravilloso hombre de sus sueños, a menos de que se enfrentara a sus problemas. Tras muchas terapias, Sherry empezó a cuidarse más. Se dio cuenta de que no había problema en estar un tiempo sola y de que merecía esperar hasta que llegara el hombre correcto, uno que la tratara con respeto e igualdad. Sherry está empezando a salir otra vez, pero es muy selectiva sobre la gente con la que sale. Ahora que Sherry se enfrentó con su "equipaje emocional", tiene mayores probabilidades de encontrar a su Príncipe Azul. Si eres como Sherry, siempre uniéndote a gente que te hace infeliz, puede ser el momento adecuado para que descubras por qué sigues manteniendo relaciones como esta, antes de que comiences una nueva.

Una niñez infeliz no es la única eventualidad que puede dejar "cicatrices" emocionales. Algunas veces nuestras relaciones románticas anteriores pueden afectar nuestra disposición para encontrar un compañero "que valga la pena". En muchas ocasiones, después de que termina una relación, nos sentimos tentados a comenzar otra que nos ayude a olvidar la ruptura o a vengarnos de nuestra pareja anterior por dejarnos o herirnos. Pero estas "relaciones por despecho" casi nunca tienen éxito. Por lo general, escogemos a la nueva persona precipitadamente y, por lo tanto, no suele ser alguien de calidad o con quien tengamos mucho en común. Con frecuencia, esta nueva persona se da cuenta de que sólo estás tratando de satisfacer tus necesidades emocionales y saldrá disparada de la relación lo antes posible. Entonces te verás forzado a tratar con una nueva ruptura y con los problemas no resueltos de la ruptura anterior.

Si rompiste recientemente con alguien, date tiempo. Date una oportunidad de "conocerte" otra vez. Si sigues esperando ver pasar el coche de tu ex enamorado, si sigues esperando que te llame o todavía lloras cuando ves a alguien con los ojos azul brillante como los de ella, no estás listo para "rehacer tu vida". Necesitas hacer las paces con el final de tu relación antes de poder dedicar tu tiempo y tus emociones a otra persona.

LISTO PARA VOLVER A AMAR

Durante este tiempo de "llorar" tu relación anterior, también puedes aumentar tus poderes de atracción para encontrar una mejor relación la próxima vez. Evalúa si fuiste lo suficientemente afectuoso y cómo puedes serlo más. ¿Sería que no pasaste suficiente tiempo con tu pareja? ¿Tomabas cada oportunidad que se te presentaba para salir de la ciudad en viaje de negocios y tu relación sufrió por no pasar tiempo juntos? ¿Fuiste demasiado crítico de los hijos de tu pareja y lo alejaste haciéndolo escoger entre ellos y tú? Tal vez estabas emocionalmente distanciado y olvidabas tomar a tu pareja de la mano o darle palmaditas en la espalda de vez en cuando. ¿Dejaste de frecuentar a tus amigos y ahora no tienes con quién compartir tus preocupaciones o los problemas que te angustian?

Recuerda, los problemas en una relación suelen ser cosa de dos. Por lo general, cuando termina una relación, ninguno "tiene razón" o no. Desde luego que si tu pareja te engaña, lo más fácil es decir que él/ella tiene la culpa por irse con alguien más. Pero también deberías preguntarte si estás satisfaciendo sus necesidades emocionales. ¿Te distanciaste de tal forma que tuvo que buscar intimidad con alguien más? Obviamente, él/ella debió de lidiar con los problemas tratando de resolver las cosas contigo, en lugar de engañarte, pero si pudieras no tener que llegar hasta ese punto en tu siguiente relación, ésta sería mucho más feliz para ti y tu futura pareja.

Entonces, ¿cuán listo *estás* para amar? ¿Te hallas en un punto en tu vida en el que estás realmente listo para un compromiso a largo plazo o necesitas estar solo durante algún tiempo para resolver los problemas que haya en tu vida? Pregúntate lo siguiente:

♥ ¿Puedo ver en mi vida una pauta que me indica que paso de una relación a otra sin nunca estar solo para poder conocerme?

♥ ¿Tiendo a sentirme atraído por el mismo tipo de persona una y otra vez; por ejemplo, por alguien que descuida mis necesidades emocionales o que nunca está conmigo?

♥ ¿Desconfío del sexo opuesto por algo que sucedió en mi niñez?

♥ ¿Sigo sufriendo por un amor anterior y espero que "recapacite" y quiera regresar?

♥ ¿Busco el coche de mi ex pareja en la calle o su cabello rubio entre la multitud?

♥ ¿Estoy enamorado de la idea de estar enamorado y no soporto pensar en estar solo?

♥ ¿Descuido a mis amigos o a mi familia porque estoy obsesionado con encontrar el amor?

♥ ¿No soy realmente honesto con las personas que conozco sobre los objetivos que quiero en una relación, porque no quiero que me dejen?

♥ ¿Ignoro las cosas malas de mi relación (llamadas muchas veces "señales de alerta") porque no quiero que mi pareja rompa conmigo o porque no quiero que me dejen solo?

♥ ¿Dependo de otras personas para ser feliz?

♥ ¿Siento que todavía quiero "echar una que otra canita al aire" y no sería justo estar con alguien que esté buscando un compromiso a largo plazo?

♥ ¿Me atemoriza pensar en vivir o tener relaciones sexuales con la misma persona por el resto de mi vida?

♥ ¿Me encanta la "emoción" que siento al inicio de cada nueva relación?

♥ ¿Mi carrera o mi tipo de vida no me permiten dedicarle tiempo a alguien continuamente?

♥ ¿Vengo de un hogar en el que hubo un divorcio, o tal vez yo estoy divorciado y temo cometer o repetir un "error"?

Si contestas que "sí" a cualquiera de estas preguntas, sin duda debes dedicarte algo de tiempo porque no estás "listo" para amar. Antes de comenzar una nueva relación, tienes que estar lo más "emocionalmente sano" que sea posible. Haz lo que sea necesario: ve a terapia, disfruta de tus amigos y familiares, lee libros de autoayuda, ve a retiros, vuelve a tomar contacto con tu formación religiosa o espiritual, busca un pasatiempo o inicia una nueva carrera. Trabaja en ti mismo. Mientras más sano te encuentres, más sanas serán tus relaciones en cuanto estés listo para ofrecer lo *mejor* de ti a otra persona.

Tarea para encontrar a tu alma gemela

¿Qué "equipaje emocional" estás cargando que pueda
evitar que encuentres a tu alma gemela?

_____
_____
_____
_____
_____
_____
_____
_____
_____
_____
_____
_____
_____
_____
_____
_____
_____

Tarea para encontrar a tu alma gemela

¿Qué puedes hacer para estar más sano emocionalmente?

10

¿Eres un alma gemela atractiva?

Cuando salimos con alguien, la mayoría de nosotros tenemos una lista en mente sobre las cualidades que buscamos en la *otra* persona. Por ejemplo, tal vez estés cansado de luchar por mantenerte, y quieres una persona que tenga una carrera exitosa para poder dejar un trabajo sin futuro e intentar realizar tu sueño de diseñar joyas. O tal vez estés más orientado hacia la salud, y sientas que es importante estar con alguien que hace ejercicio, cuida su dieta y se mantiene en buena forma. Es imprescindible que sepas lo que estás buscando en tu posible pareja. Sin embargo, al mismo tiempo que evalúas a otras personas buscando las cualidades que deseas, ¡la gente con la que entras en contacto te estará valorando a ti para ver qué es lo que "tienes para aportar"! ¿Alguna vez te has puesto a pensar en lo que *tú* tendrías para ofrecer a un posible compañero? ¿Tendrás las cualidades que encontrarías en la lista de los "sí quiero" de otra persona?

Todos tenemos virtudes y defectos. Y, desde luego, en un mundo perfecto nuestro compañero nos aceptaría tal y como somos. Pero las cosas no son así. Si quieres "mejorar tus probabilidades" de encontrar un compañero, tienes que mirarte de manera realista para poder aumentar tus virtudes y minimizar tus defectos. El autoanálisis y la superación personal son herramientas importantes para hacerte más atractivo ante los ojos y los corazones de los demás.

Por ejemplo, he trabajado con muchas mujeres solteras que creen que tienen "derecho" de obtener cualquier cosa sin pagar, sólo por ser bonitas. Pero no se preguntan qué es lo que pueden *dar*. De hecho, cierta mujer me envió un correo electrónico de dos páginas con los requisitos que buscaba en un hombre, que incluían, por nombrar algunos: "Me gustaría vivir en Beverly Hills o Malibú, o tener casa en los dos sitios. Me encantaría viajar, aunque mi idea de no tener las comodidades necesarias es alojarme en el Hotel Four Seasons, en lugar de en el Península o en el Mandarín Oriental. No me gusta acampar porque no puedo usar mi secadora para el pelo. Prefiero trabajar en mi relación a tener un trabajo. Me gusta viajar, y me encantan los aviones privados, pero puedo aceptar hacerlo en primera clase o en clase ejecutiva. La clase turista no es suficiente ni para sentirme cómoda ni para llevar mis maletines de mano". Estos son unos cuantos fragmentos... había mucho más de lo mismo. Todo trataba sobre lo que se suponía que el hombre le tenía que proporcionar. Con esa actitud, no me sorprendía que a los cuarenta todavía no se hubiera casado. A ver, no me malinterpreten. Está bien querer un hombre exitoso y con un buen estilo de vida. A mí tampoco me molestaría vivir en una mansión, ni viajar por el mundo en primera clase, pero el hombre quiere que lo quieran por quien es, no por lo que tiene.

REALZANDO TUS VIRTUDES

Desde luego, no te estoy sugiriendo que tener una mala racha en las citas signifique que tu espantosa personalidad esté alejando a la gente con la que podrías salir. Por lo general, ¡la incompatibilidad es mutua! Cada relación es diferente. Juzgar tu propio atractivo hacia el sexo opuesto (y no sólo estoy hablando del atractivo físico) puede ser un ejercicio incómodo. Si piensas en tus virtudes, puedes sentir que estás presumiendo o que estás siendo vanidoso. Por otra parte, si consideras tus defectos, te será difícil admitir que podrías hacer las cosas un poco mejor.

Primero, echa un buen vistazo a las cosas "positivas" que puedes aportar. Hazte las preguntas que anoto a continuación, que pueden ayudarte a ver tus virtudes. ¡Tal vez quieras ir más allá de esta lista y encontrar algunas "ventajas" propias! Responde estas preguntas con un "sí" o un "no".

_____ ¿Estoy abierto y listo para una nueva relación?

_____ ¿Es divertido estar conmigo?

_____ ¿Estoy abierto a nuevas experiencias?

_____ ¿Soy un buen conversador y me mantengo al día sobre los sucesos de actualidad?

_____ ¿Me mantengo en forma y me veo bien para mi edad?

_____ ¿Sé escuchar?

_____ ¿Estoy contento con mi carrera?

_____ ¿Mi situación financiera es estable?

_____ ¿Tengo buenos amigos?

_____ ¿Soy generoso con mi tiempo?

_____ ¿Aprecio lo que otros hacen por mí?

_____ ¿Suelo ser positivo y estar de buen humor?

SEÑALANDO TUS DEFECTOS

Ahora, hagamos lo mismo con tus puntos "negativos". Hazte las siguientes preguntas:

_____ ¿Tengo mal carácter?

_____ ¿Me preocupa demasiado lo que piensen los demás?

_____ ¿Monopolizo las conversaciones?

_____ ¿Tengo una apariencia moderna?

_____ ¿No estoy contento con mi carrera profesional?

_____ ¿Critico demasiado el desempeño de los demás?

_____ ¿Soy impaciente?

_____ ¿Suelo entablar conversaciones negativas y criticar?

_____ ¿Estoy amargado por una relación anterior?

_____ ¿Soy inflexible y no quiero experimentar cosas nuevas?

_____ ¿Tengo opiniones rígidas y critico el punto de vista de los demás?

_____ ¿Soy demasiado sensible a los comentarios que se hacen sobre mí?

EL VIAJE HACIA LA SUPERACIÓN PERSONAL

Ahora quiero que pienses en las cosas que retuviste en tu mente cuando leíste las preguntas anteriores. ¿En verdad reflexionaste sobre cada pregunta y te evaluaste honradamente? Primero que nada, si tienes algunos puntos positivos en tu lista de "virtudes", ¡felicidades! Recuerda mostrar estas cualidades maravillosas cuando salgas con alguien. Pero, ¿te sorprendería que te felicitara por tener muchos puntos negativos en tu lista de "defectos"?

¡Quiero elogiarte por admitir que necesitas mejorar! Si no tienes nada que poner en el lado "negativo", dudo mucho que te hayas mirado en forma realista. Después de todo, nadie es perfecto. Así que lo ideal es que tengas un buen número de puntos tanto positivos como negativos que te retroalimentarán para que sepas cómo hacer que tus futuras citas te lleven a relaciones de largo plazo. Si tienes problemas de autoestima, puedes experimentar dificultad para iniciar una relación, o por lo menos una que sea sana. Si exudas confianza en ti mismo (y no hablo de presumir), atraerás hacia ti a gente con la misma alta calidad que tú tienes.

Ahora, te recomiendo que uses los espacios siguientes para identificar tus virtudes y defectos específicos. Después, en cada uno, explica cómo vas a ocuparte de ellos. Por ejemplo, si escribes: "Tengo un cuerpo bonito", como virtud, tal vez quieras "comprar ropa que realce mi figura" para mejorar esta virtud. Y si escribes: "Mi trabajo no tiene futuro", como defecto, podrías intentar "hacer una cita con un consejero laboral" para dar un paso que te ayude a lidiar con esta debilidad. Ahora es tu turno:

Mis virtudes	Cómo voy a mejorar esta virtud

Mis defectos	Cómo voy a atacar este defecto

La meta es esforzarte por conocer y entender tu persona. Así que no temas pedir ayuda si empiezas a dudar sobre tu capacidad de cambio. Toma clases, busca orientación, pide ayuda a un amigo. Haz lo que sea necesario para aumentar tus puntos "positivos", lucha contra los "negativos", ¡y siéntete bien contigo mismo! Te asombrará descubrir que cuando le muestras al mundo lo mejor de ti, *atraerás* a las mejores personas.

CÓMO NOS VEMOS

¿Cómo te ves? ¿Lo has pensado alguna vez? Nos demos cuenta o no, nos juzgamos continuamente. Puede ser que creas que necesitas perder unos cuantos kilos, que tienes demasiadas arrugas, que no eres muy listo, que tu tarjeta de crédito ya tendría que estar pagada, que no perteneces al círculo social que te gusta, etcétera, etcétera, etcétera. Conoces tus problemas, retos y debilidades, pero por lo general la demás gente no los conoce.

Recuerdo la primera vez que fui a vivir a Chicago. Estaba casada, básicamente era infeliz, tenía problemas económicos y asistía a audiciones.

Estaba trabajando en un restaurante, haciendo ni más ni menos que las otras meseras. Todas estábamos en el mismo barco. Además, teníamos casi la misma edad. Un día otra mesera me comentó que todos pensaban que yo era un ama de casa rica, que estaba aburrida y que por eso trabajaba como mesera. ¡Me quedé estupefacta! ¡Creo que hasta con el uniforme se notaba en mí un aire de clase alta!

Años después, cuando trabajaba en una agencia de búsqueda de parejas llamada Grandes Esperanzas, en Los Ángeles, los clientes solían pensar que yo era la directora o la dueña. Y donde trabajo ahora, las personas que me conocen fuera de la oficina creen que la empresa es mía. Así que no importaba si yo estaba asustada, me sentía insegura, luchaba por mantenerme o no tenía ni un centavo. La gente tenía cierta opinión de mí que contradecía mis circunstancias actuales. Y hasta he tenido un par de experiencias en las que a primera vista alguien llegó a pensar que era una bruja. ¡Caramba! Esto también me impactó porque soy una de las personas más accesibles y amigables que te puedas encontrar. Pero hay gente que asume automáticamente que si tienes éxito no puedes ser una buena persona.

Desde luego, realmente no importa lo que los demás piensen de ti. Lo que cuenta es la imagen que tú crees de ti mismo. Puedo enfocar mi mente y mi energía para creer y sentir que valgo. También puedo utilizarlas para afirmar que soy exitosa; que tengo una relación afectuosa con mi alma gemela; que soy creativa; que tengo abundancia económica; que estoy trabajando en algo que me encanta, etcétera. Así que, ¿por qué no aceptar esta invitación a verte como todas estas cosas, dado que el universo ya te ve así? Debes saber que eres una creación perfecta en este planeta y que tienes el derecho de estar aquí. Tienes derecho al amor, la abundancia, el éxito, la paz y muchas cosas más. Eres digno de vivir feliz para siempre con tu alma gemela, como en los cuentos de hadas. ¡Quiero que visualices y *sientas* que todas estas cosas son reales hasta que experimentes un hormigueo! Siente cómo vas hacia una relación maravillosa. Siente que ya tienes todo lo que deseas y mereces. ¡No lo dudes!

FABULOSO, PASE LO QUE PASE

Hay tanta gente que desearía ser alguien más o verse como la celebridad o modelo de moda. Hay modelos en nuestra cultura que literalmente se matan de hambre. Hay mujeres de todas las edades que introducen bolsas de material salino en sus senos sólo porque creen que eso es lo que hay que hacer, aunque haya muchos hombres diciéndoles que adoran sus senos tal y como son.

Inyectamos Botox en cada línea de expresión de la cara porque nos da miedo que alguien calcule nuestra edad real. Pero, ¿somos sólo un "recipiente" de piel, músculos y huesos, o somos alma, espíritu, creatividad, luz, amor e inspiración? Mira hacia el interior y podrás encontrar todo lo que necesitas, todo lo que estás buscando. Sí, no conformarnos puede ser un reto, y todos queremos vernos lo mejor posible. No tiene nada de malo. Pero nuestra cultura y los medios de comunicación han llevado todo esto a un extremo tal que ya nadie se siente bien consigo mismo. Y yo no sé tú, pero yo quiero un hombre en mi vida que me ame y esté junto a mí cuando me salgan patas de gallo, no quepa en una talla 5 y tenga que retocarme con más frecuencia las canas.

El otro día, a mi marido y a mí nos dio un ataque de risa en una zapatería. Me estaba probando un par de botas, y comenté: "Antes usaba número 24, pero ahora soy 25. Parece que todo se hace más grande cuando nos vamos haciendo mayores". Y él me contestó: "Sí, ¡pero después comienzas a encogerte!". No nos sentimos lo suficientemente ricos, lo suficientemente delgados, no estamos lo suficientemente "al día". ¡Pues yo digo que ya basta!

Los sentimientos que debes atraer son las maravillosas vibraciones de alta frecuencia que te hacen experimentar un hormigueo y que te hacen sentir bien contigo mismo y con tu situación, pues atraerás cosas poderosas. Así que prepárate a tomar el control y a vibrar hacia el éxito en cualquier área en la que te enfoques. Probablemente has escuchado el dicho: "Si no te amas a ti mismo, nadie más puede amarte". Y es muy cierto. Aunque atraigas a tu alma gemela hacia tu vida, si tienes una autoestima baja y no haces más que denigrarte, esa persona no se quedará mucho tiempo. Expresar afirmaciones diariamente es una buena manera de mejorar tu autoestima. Puedes inventar las tuyas o utilizar algunas de las siguientes. (Encontrarás más afirmaciones en el Apéndice A.)

AFIRMACIONES QUE TE HARÁN VIBRAR

- ♥ El amor mana hacia mi vida desde cada esquina del universo. Yo sé que soy amado.
- ♥ Los errores no me molestan. Si me caigo, me vuelvo a levantar. Soy amable conmigo mismo.
- ♥ Soy bello/bella tal como soy.
- ♥ Soy un ser inteligente y creativo que tiene mucho que darle al planeta.
- ♥ Inicio cada día con un enfoque positivo. Quiero que sucedan cosas buenas.
- ♥ Sé que el universo me respalda completamente. Merezco todo lo bueno sólo por ser yo.
- ♥ Veo lo bueno que hay en los demás y les doy una oportunidad. Por lo mismo, los otros ven lo bueno que hay en mí.
- ♥ Nunca me doy por vencido en las cosas que son importantes para mí. El universo quiere que tenga éxito. ¡Yo soy un éxito!
- ♥ Soy especial y único. No hay nadie como yo.
- ♥ Creo en mí. Soy un ser con vibraciones poderosas.

Una forma maravillosa de empezar el día es realizando afirmaciones y visualizaciones positivas. Me gusta visualizar mi jornada antes de salir de casa en la mañana. Afirmo que transcurrirá sin problemas, que mis relaciones con los compañeros de trabajo serán armoniosas y que será un día maravilloso y productivo. Constantemente la televisión, la radio, los compañeros de trabajo, etcétera, nos bombardean con basura negativa. Iniciar tu día con una nota positiva y afirmando que eres una fuerza positiva en el universo realmente harán la diferencia.

Tarea para encontrar a tu alma gemela

¿Qué afirmaciones puedes expresar para ayudar a amarte a ti mismo?

_____

_____

_____

_____

_____

_____

_____

_____

_____

_____

_____

_____

_____

_____

_____

_____

_____

_____

_____

_____

_____

_____

_____

11

¡Haz tu pedido!

Hasta ahora, en este libro te he enseñado a identificar lo que "no quieres" y lo que "sí quieres"; a visualizar lo que quieres que suceda y a dejar a que llegue hacia ti en forma natural. También te animé a entender un poco más lo que es el amor y a distinguir si estás listo para vivirlo, además de proporcionarte sugerencias para que te conviertas en una persona más sensible y con una mayor autoestima.

Ya estás listo para aumentar el poder que está detrás de tu forma de usar la Ley de la Atracción, con la escritura de un guión. Escribir o crear un guión es solamente soñar despierto con algo maravilloso y visualizarlo con tus emociones. Vas a inventar una historia fabulosa de la situación exacta en la que quieras verte. No la hagas sobre lo que va a suceder en el futuro; hazla sobre lo que está pasando *ahora*. Por ejemplo, no vas a pensar: "Algún día tendré un trabajo que ame y estaré ganando una buena cantidad de dinero". Mejor dirás: "*Tengo* un trabajo que amo y gano más de lo que nunca soñé".

Tienes que sentirte emocionado y apasionado con cada palabra que escribas y expreses. Siente alegría y satisfacción mientras te emocionas con la idea. Siente que estás viviendo la fantasía. Si no hay un sentimiento apasionado tras tu guión, no habrá ningún cambio y daría lo mismo que dijeras frases sin sentido. Por lo tanto, asegúrate de que las vibraciones positivas que emitas cancelen las vibraciones negativas. ¡Y a divertirte!

Puedes expresar tu guión con palabras o escribirlo y leerlo en voz alta. A mí me gusta tenerlos escritos y llevarlos conmigo. Luego, los repito varias veces durante el día. Me gusta mucho hacerlo cuando voy al trabajo, mientras estoy atorada en el terrible tránsito de Los Ángeles, porque transforma la frustración en algo positivo.

Ejemplo de un guión sobre el alma gemela: "Estoy tan contento y agradecido ahora que tengo una nueva alma gemela en mi vida. Adoro que nos guste estar juntos cada día. Es maravilloso que nos respaldemos uno al otro en lo que nos apasiona y en nuestras carreras. Me encanta que los dos seamos tan optimistas y que la pasemos tan bien juntos. La gente admira lo bien que nos entendemos. Siempre sacamos lo mejor que el otro tiene para dar. Amo el hecho de que mi pareja me satisfaga de tantas formas y que sea de gran valor en mi vida".

ROMPE CON LO NEGATIVO

Muchos de nosotros tenemos un guión negativo que escuchamos constantemente en nuestra mente. Es como una segunda naturaleza, un hábito, como levantarte todos los días, vestirte e ir a trabajar. Ni siquiera nos damos cuenta; la negatividad sólo fluye. ¿Alguna de estas frases te suena conocida?

💜 "No me gusta mi trabajo."

💜 "No quiero recibir estas cuentas."

💜 "Mi novio es muy flojo."

💜 "Mi novia es muy egoísta."

💜 "No puedo tomar vacaciones."

💜 "No quiero estar gordo."

Desafortunadamente, este es el tipo de ideas que dan vueltas dentro de nuestra cabeza, o lo que es peor, que decimos a los demás. En cualquier comedor de una empresa grande, en cafeterías, bares, reuniones familiares y demás, ¿qué sueles escuchar? Chismes, negatividad y quejas. También eso es lo que escuchamos todos los días en los medios de comunicación: crímenes, robos, guerras, secuestros, etcétera, etcétera, etcétera. Hablando de relaciones, ¿tu guión actual suena como éste?: "¿Por qué nunca puedo conocer al hombre correcto? Parece que siempre atraigo mujeriegos o tipos que me tratan mal. Todos los hombres buenos tienen pareja. Nunca voy a conocer a mi hombre ideal". O, "¿por qué todas las mujeres que conozco son tan superficiales? ¿Qué no podrán ver más allá de mi cartera? ¿Ya no hay mujeres inteligentes, cariñosas y atractivas?".

Durante algún tiempo lo que pensaba sobre los hombres era parecido a los comentarios anteriores. En consecuencia, como no dejaba de emitir ese tipo de pensamientos, lo que obtuve fue un desfile de hombres no disponibles y faltos de interés. Lo más chistoso es que en ese momento ya sabía de metafísica y afirmaciones. Usaba meditación, afirmaciones y visualización para atraer trabajos como modelo y comerciales para televisión hacia mi vida. Era un juego divertido. Pero estaba totalmente bloqueada en lo tocante a las relaciones. Casi parecía que me sentía satisfecha cada vez que un hombre me dejaba. Mira, era lo que esperaba, era lo que pasaba, y yo confirmaba que tenía razón, ¡caramba! Pero tras unos cuantos años de este patrón, ¡estaba agotada! Ya no quería seguir teniendo razón. Sólo quería estar en paz. Ya no quería ni dramas, ni rupturas dolorosas ni tener que preguntarme si él llamaría o no. En cuanto decidí lo que "no quería"...

1. No quiero que hombres casados me inviten a salir.
2. No quiero salir con hombres que no llamen cuando quedaron de hacerlo.
3. No quiero desperdiciar mi tiempo con hombres que no me respeten.
4. No quiero sentir que mi prioridad es conseguir una relación.
5. No quiero empezar una relación sentimental con hombres a quienes no les importe.

... pude transformar los "no quiero" en "sí quiero".

1. Sí quiero conocer sólo hombres que estén disponibles.
2. Sí quiero salir sólo con hombres responsables y que mantengan su palabra.
3. Sí quiero conocer hombres que respeten a todas las mujeres.
4. Sí quiero poner mi crecimiento personal y mi carrera como prioridades en mi vida.
5. Sí quiero respetarme lo suficiente para rechazar propuestas sexuales de hombres con los que no tenga un compromiso a largo plazo.

CÁMBIATE A LO POSITIVO

En cuanto tuve claros mis deseos y prioridades, me fue fácil y divertido escribir un guión positivo y poderoso. Y tú también puedes hacerlo. Diviértete. Hazlo tan elaborado y emocionante como tú quieras. ¡El cielo es el límite!

Tus sentimientos provocarán los resultados que deseas. La famosa metafísica y conferencista Florence Scovel Shinn escribe en su libro *El juego de la vida y cómo jugarlo* que debes preparar el terreno y esperar a que llegue lo que deseas. Por ejemplo, si tu deseo es atraer un marido hacia tu vida, prepárate para él. Habla sobre una mujer que compró una silla cómoda para su futuro marido y ponía un lugar más en la mesa anticipando su llegada. ¡Y poco tiempo después ya tenía un marido sentado frente a ella para cenar!

Recuerda *sentir* la pasión tras cada palabra. Si no lo sientes, no lo obtienes. Son los sentimientos y emociones apasionadas e interesantes tras las palabras los que causan las vibraciones positivas necesarias para atraer tus deseos. Por lo tanto, ¡siéntete libre de escribir un guión que sea una obra maestra! ¡Que pueda ganar un Premio de la Academia! Esta es tu vida. Tu guión puede ser tan largo como quieras, con todos los detalles que quieras incluir. La verdad es que mientras más detallado sea, más real será para ti y te hará sentir más emocionado. Si quieres, puedes escribir un nuevo guión cada día, con detalles cada vez más divertidos y jugosos, ¡y verás lo que sucede!

Ejemplo de un guión para conseguir un alma gemela: "Me siento bendecida y agradecida porque mi compañero perfecto ya viene hacia mí. Somos uno para el otro. Él es atento y cariñoso y un excelente comunicador. Apoya mi carrera y siempre está ahí cuando lo necesito. Tenemos un estilo de vida fabuloso y viajamos juntos a destinos exóticos. Estoy lista para estar presente y sana en esta maravillosa relación".

Recientemente, una de mis clientas me invitó a cenar. Llevaba una pañoleta en la cabeza y me encantó cómo se le veía. Me gusta usar pañoletas y no he podido encontrar una que me quede bien.

Le pregunté dónde las compraba, y me contestó que en realidad era un pañuelo para hombre que había adquirido en una tienda de ropa masculina en Beverly Hills. Decidí ir a comprarme uno. Fui y vi que era una tienda muy cara frecuentada por celebridades. El vendedor inglés era encantador. Le dije qué era lo que estaba buscando, me mostró los pañuelos y me pidió que me probara unos cuantos. Mientras tanto, entró más gente a la tienda y él fue a atenderla. Durante quince minutos, me probé varios pañuelos hasta que me decidí por uno. Le pregunté el precio y él me contestó: "Mil pesos".

"¡Qué lástima!", pensé. "¿Mil pesos por un pedazo de tela? Estaría loca si lo pagara. No debería hacerlo." Pero, al mirarme al espejo, vi que el pañuelo se veía con estilo y mucha clase. Me *sentía* rica con tan sólo usarlo. Decidí comprarlo y convertirlo en mi "pañoleta de la buena suerte". Cuando la usaba, me *sentía* rica y especial. Los siguientes días, me paseé por la ciudad con mi pañuelo, sintiéndome fabulosa. Esa misma semana, me contrataron para un trabajo como locutora y para un comercial de televisión. Ya ni siquiera tengo un agente porque trabajo como buscadora de parejas de tiempo completo, pero dos personas que me conocen de antes me llamaron y me contrataron de inmediato. Después, esa misma semana, conseguí un contrato con un nuevo cliente y recibí una comisión de 13 mil pesos. Estaba *vibrando* en una frecuencia alta. Ya me *sentía* exitosa. ¡Los resultados fueron inmediatos, por lo que no pude negar la conexión! Así que toma lápiz y papel y escribe tu guión. Siente que ya tienes lo que deseas.

HAZLO DIVERTIDO

En *Disculpa, tu vida te está esperando,* Lynn habla sobre algo que ella llama "el truco de los 100 dólares".

Se usa para atraer más dinero hacia tu experiencia o cuando quieres mejorar lo que sientes por el dinero en este momento, con el fin de permitir que fluya en mayor cantidad hacia tu vida.

Esto es lo que tienes que hacer: pon un billete de 100 dólares en tu cartera. Mantenlo contigo en todo momento, y cada vez que sostengas tu cartera o tu bolsa, recuerda que el billete está ahí. *Siéntete* complacido por ello y recuérdate con frecuencia que tenerlo te trae una mayor sensación de seguridad. Mientras pasa el día, toma nota de todas las cosas que podrías comprar con ese billete. Cada vez que pases por una tienda o un restaurante, recuerda que si lo quisieras podrías comprarte algo porque tienes 100 dólares en la cartera. Al retener el dinero y no gastarlo en ese momento, recibes la ventaja vibracional que esto te provoca, incluso por sólo pensar en ello. Si gastaste mentalmente esos 100 dólares veinte o treinta veces ese día, habrás recibido la ventaja de sentir que gastaste dos o tres mil dólares.

Cada vez que reconoces que tienes el poder en tu cartera de comprar esto o hacer aquello, una y otra vez, aumentas tu sentido de bienestar financiero y, por lo tanto, tu punto de atracción comienza a cambiar. Lynn dice que "una idea antigua o cualquier idea no es más que un hábito vibracional al que respondemos como focas entrenadas. Así que nuestro objetivo aquí es encontrar algo que rompa esos antiguos y habituales patrones vibracionales de pensamiento. Tenemos que dar montones de salidas a la energía del dinero para que fluya, antes de que empiece a producirse a nuestro alrededor".

¡Cuando leí esto, realmente me emocioné! ¡Qué manera tan divertida de atraer más dinero hacia mi vida! Siempre me ha gustado convertir mi vida y mis experiencias en un juego. ¡Mientras más me pueda divertir jugando este juego de la vida, mejor!

Empecé a creer que si este enfoque podía atraer más dinero hacia mí, también podría atraer más de cualquier cosa.

Recuerdo haber escuchado una historia sobre el actor Jim Carrey. Antes de ser famoso, se hizo un cheque por 20 millones de dólares y lo guardó en su cartera. Unos cuantos años después, le pagaron 20 millones de dólares por un papel en una película. Jim Carrey estaba practicando el poder de la atracción, lo supiera o no.

Donald Trump ha ganado miles de millones utilizando sus sentimientos para atraer el éxito hacia su vida. Claro, tenía algo de dinero para comenzar –su padre era un agente inmobiliario exitoso–, pero Donald ha llevado su vida y sus negocios completamente hasta otro nivel gracias al entusiasmo y los sentimientos que manifiesta por su vida y sus negocios. Se siente el rey del mundo, capaz e informado, y siente que merece lo mejor. Por ello, atrae más oportunidades que nunca antes. No importa si un día no sale bien peinado o si se ha divorciado un par de veces o si lo apalean en los noticieros. Eso sólo lo hace sentirse más resuelto y emocionado sobre lo que hace; y se nota.

EL TRUCO DEL ALMA GEMELA

Y, ¿qué tiene que ver todo esto con atraer a tu alma gemela? Te sugiero que conviertas el "proceso de la cartera" en el "proceso del alma gemela" o el "truco del alma gemela". Escribe en una hoja de papel todas las cualidades que buscas en la persona de tus sueños. Pon todos los detalles que quieras. Como dijimos con anterioridad, este es tu nuevo guión. Por ejemplo, si yo fuera a escribir uno para mí, pondría algo como esto:

> "Afirmo que el hombre correcto ya viene en camino hacia mí. Él posee cualidades que yo admiro. Él es comprensivo, romántico, cariñoso, generoso, creativo y tiene un gran sentido del humor. Es culto, ha viajado y habla dos idiomas. Es honesto, fiel, aprecia a su familia y adora a los animales, en especial a los perros."

Guarda este papel en tu cartera o en tu bolsa. *Siente* que esta poderosa declaración, esta poderosa afirmación, está atrayendo al compañero perfecto para ti. Ten cuidado de no sentir que te falta esta persona en tu vida. Asegúrate de que tus sentimientos estén vibrando la energía de que esa persona está aquí. Lee tu guión varias veces al día y exprésalo en voz alta. Es importante que seas muy específico y que sientas la situación.

Pero también considera tus expectativas mientras estás en el proceso de las citas. Aunque sería magnífico obtener cada detalle en la persona que esperas, la realidad es que no estás construyendo un compañero en un laboratorio como el doctor Frankenstein. Oye, si yo pudiera hacer eso, ¡quítate Donald Trump, deja paso a la próxima millonaria, Marla Martenson! En otras palabras, tal vez tengas que revisar o reescribir tu guión cuando te vuelvas más sensible y definas a tu alma gemela ideal. Mientras mejor refleje tu guión lo que es mejor para ti, más fácil será que se convierta en realidad porque tu corazón sabrá –realmente *sentirás*– ¡que esta persona está preparada para ti!

RECONOCE LAS COSAS DE LAS QUE NO PUEDES PRESCINDIR

En un capítulo anterior identificaste lo que "sí quieres": las cualidades que realmente deseas encontrar en un alma gemela. Mientras más experimentes con la Ley de la Atracción, te darás cuenta de que constantemente actualizarás esa lista –y tu guión– mientras más atención le pongas a las cualidades que sencillamente no puedes sacrificar para cohabitar felizmente con un futuro compañero. Considera algunas de estas posibles áreas de conflicto:

Inteligencia: ¿Cuán inteligente quieres que sea tu pareja? ¿Quieres una persona con quien puedas mantener conversaciones estimulantes intelectualmente o te sientes amenazado cuando parece que alguien "lo sabe todo"?

Estatus: ¿Te parece importante que ambos pertenezcan al mismo círculo social? Si llevas una vida llena de cenas y salidas al teatro y tu pareja nunca se ha aventurado más allá del complejo de cines cercano, podría ser que sus intereses sean demasiado divergentes para encontrar algo en común.

Religión: Si tu compañero y tú tienen orígenes religiosos diferentes, podrían tener conflictos durante las vacaciones, con sus familias y para criar a sus hijos. Si no eres practicante, tal vez estés dispuesto a permitir que tu pareja tome las decisiones sobre temas religiosos. Pero si consideras tu religión como algo importante, piensa bien si quieres estar con alguien que no comparta tus opiniones.

Política: Aunque Arnold Schwarzenegger y Maria Shriver han logrado mantener un aparentemente exitoso matrimonio a pesar de sus visiones políticas diametralmente diferentes, en realidad esta es una excepción a la regla. Tus ideales políticos dicen mucho de tus puntos de vista sobre los temas sociales, las regulaciones gubernamentales, el medio ambiente y muchas cosas más. Si sus ideas políticas no "están armonizadas", podrían acabar discutiendo sobre los temas cruciales en la vida.

Cultura: La familia de Lisa es originaria de China. Su prometido, Anthony, viene de una bulliciosa familia italiana. Cuando Lisa y Anthony llevaron a los padres de ambos a cenar, la convivencia fue desastrosa. Los padres de Lisa estaban horrorizados porque los padres de Anthony se reían a carcajadas en el restaurante y bromeaban con el mesero.

A los padres de Anthony los de Lisa les parecieron estirados y rígidos. Ellos tendrán que lidiar con este "choque cultural" en sus futuras reuniones familiares.

Intereses comunes: ¿Es muy importante para ti que tu pareja y tú hagan todo juntos? Si tu novio adora el futbol y tú no lo soportas, empezarás a resentir el tiempo que pase frente a la televisión durante la temporada de partidos.

Cuando estés considerando una relación a largo plazo, estos temas pueden volverse críticos para determinar si tendrán éxito construyendo una vida en común duradera. Es importante que tengas muy claro qué es lo que puedes "aceptar" en un compañero que estará durante mucho tiempo. Las grandes diferencias en estas áreas pueden convertirse en fuentes de tensión y polémica en una relación. Puedes evitar que suceda pensando bien las cualidades que quieres que tenga tu futuro compañero y no conformándote con menos.

¡TÓMALO CON CALMA!

Hasta ahora te he alentado a profundizar en tus intenciones, pero al mismo tiempo puede ser aconsejable que relajes tus expectativas. En el servicio de búsqueda de pareja en el que trabajo he tenido varios clientes que se pusieron demasiado exigentes. Se enfocaban mucho en sus "no quiero"; por ejemplo, ¡negándose a conocer mujeres de ojos castaños, *bra* copa B, cabello rizado o de religión judía (aunque ellos mismos lo eran)! Un hombre no quiso conocer a una mujer maravillosa porque sus padres eran extranjeros. Tuve clientas que no podían salir con un hombre si no tenía una casa propia, si medía menos de un metro ochenta, si nunca se había casado y ya había llegado a los cuarenta o si tenía entradas en el cabello.

Los humanos no somos perfectos, y si "insistes" en un "milagro" –si tu guión es *demasiado* restrictivo– tal vez quieras resignarte a que podrías estar solo durante mucho tiempo. Si tuviera una varita mágica, cambiaría algunas cosas de mi marido. Me encantaría que fuera vegetariano como yo y que bajara la tapa del baño después de hacer pipí, entre otras cosas. Y sé que hay por lo menos una docena de cosas en las que él usaría la varita mágica para cambiarme, pero nos aceptamos el uno al otro, así como al hecho de que siempre tendremos diferencias. Las diferencias realmente no son importantes. Lo que apreciamos y disfrutamos son las cosas maravillosas y positivas de cada uno, ¡y nos reímos de lo demás!

Mientras estén ahí las cualidades principales, mantén la mente abierta y no descartes a nadie por su color de ojos o porque tenga entradas. La clave real es la química. Podemos ver ese ejemplo en la historia de *La Bella y la Bestia*, en la que la bella ve que la belleza interior de la bestia brilla como una estrella. Tal vez estés diciendo: "Lo siento, Marla, pero no puedo salir con alguien que no me atraiga. ¡La apariencia es algo que me parece muy importante! ¡No me gustan los hombres bajitos ni rubios!". Cuando entrevisto a una nueva clienta y le pregunto qué tipo de apariencia le interesa, el noventa por ciento de las veces me dice: "Tengo que sentirme atraída hacia él". ¡Bueno, no te voy a sugerir que salgas con cada Juan, Pedro y Carlos, o Ana, María o Laura! ¡No te voy a pedir que salgas con una criatura de la laguna negra sólo porque te lo pida! Sólo te estoy sugiriendo que mantengas la mente abierta en lo que respecta al color de ojos o de cabello, a unos cuantos kilos de más, o unos cuantos centímetros. Intenta buscar todas las cualidades maravillosas de la persona. También permite que brille su luz interior.

Así que mientras estás escribiendo tu guión e imaginándote a tu compañero perfecto, entiende que el universo puede tenerte guardado algo un poco diferente de todos esos pequeños detalles que imaginaste, ¡pero el universo siempre quiere lo mejor para ti!

Tarea para encontrar a tu alma gemela
Crea tu lista "tiene que ser..."

Tómate tu tiempo para crear tu propia lista de "tiene
que ser...". Abajo te sugiero algunas categorías que
te ayudarán a empezar a pensar.
En cuanto las añadas a tu lista de "sí quiero",
podrás utilizarlas a fin de crear el guión para encontrar
a tu alma gemela.

Apariencia:_____

Dinero:_____

Inteligencia:_____

Forma física:_____

Amistades o estatus social:_____

Intereses comunes:_____

Religión:_____

Política:_____

Estilo de vida:_____

Cultura:_____

Otros:_____

Tarea para encontrar a tu alma gemela

¡Escribe tu guión!

_____

_____

_____

_____

_____

_____

_____

_____

_____

_____

_____

_____

_____

_____

_____

_____

_____

_____

12
Casi "perfecto"

¡Por fin, ya estás atrayendo hacia tu vida a unos cuantos candidatos a alma gemela! Estás usando el proceso de cuatro pasos y otros elementos de este libro, y hasta puede ser que estés atrayendo varias opciones para escoger. Tal vez ya hayas encontrado a esa persona especial que esperas que sienta lo mismo por ti. ¿Cómo saber si encontraste al indicado? Algunas veces, sencillamente lo sabemos y nos funciona sin ningún problema. Pero otras pasamos por un proceso diferente: ¡una serie de "más o menos adecuado" o "casi un buen partido"! Y me parece bien; hasta puedes convertirlo en algo bueno. Estas experiencias nos ayudan a aclarar nuestros "no quiero", para convertirlos en "sí quiero", a fin de que la próxima vez nos acerquemos más a atraer a esa persona correcta. También revela la importancia de ver que ese alguien es el "casi perfecto", en lugar del "perfecto" para ti, y que así puedas rechazar a los que no estén destinados a estar contigo durante mucho tiempo.

LA HISTORIA DE UN "CASI BUEN PARTIDO"

Jeanette y Gregory se conocieron una noche en un restaurante abarrotado de gente. Los dos habían salido a cenar con amigos y estaban esperando mesa. Sentados uno cerca del otro en el bar, comenzaron a platicar. Hubo química entre ellos desde el primer momento y se convirtieron en inseparables durante los siguientes tres años. No obstante, había momentos en los que Jeanette se reunía con sus amigas para quejarse y lamentarse sobre sus sentimientos conflictivos hacia Gregory. Por una parte, sentía que amaba a Gregory, pero por alguna razón no se veía pasando el resto de su vida junto a él.

Dejando a un lado la "increíble química", Jeanette y Gregory no podían ser más diferentes. Jeanette era profesora de posgrado. Gregory, vaquero de corazón, era un "mil usos" que realizaba trabajos esporádicos cuando necesitaba dinero. Si ya había ganado lo suficiente aquí y allá, construyendo una terraza o reparando un tejado, cargaba los dos caballos que había adoptado (en un rodeo de caballos salvajes de la Oficina de Administración de Tierras) y se iba a las montañas. Le encantaba decir que "trabajaba para vivir, no vivía para trabajar". Al principio, eso le encantaba a Jeanette, sobre todo porque su estilo de vida era más "vivir para trabajar". Se enorgullecía de trabajar setenta horas a la semana y de subir un escalón más en la tabla salarial cada año. Su meta era llegar a ser catedrática en un año o dos y después "aspirar a los puestos de vicedecana y decana". Su meta final era convertirse en rectora de su universidad.

Pero con Gregory en su vida, se pasaba los fines de semana durmiendo en las montañas bajo las estrellas, con un vaquero que montaba una tienda de campaña, hacía una fogata y sabía cocinar carne sobre ésta. Jeanette nunca había sido una "chica de campo", pero se compró unos pantalones de mezclilla, además de su primer par de botas tejanas y un sombrero vaquero. Durante los primeros seis meses, le encantaba estar con su "macho" y los retiros de fin de semana en las montañas le parecían románticos. Pero empezó a dejar de asistir a las reuniones de fin de semana con sus amigos y sentía que estaba perdiendo completamente el contacto con la vida de la ciudad. Al alejarse de su hogar esos días, le quedaba poco tiempo para lavar la ropa, ir de compras y resolver otros pendientes. Se dio cuenta de que su lista de cosas por hacer cada vez crecía más y sus amigos se estaban convirtiendo en cosa del pasado.

Pero los problemas de Jeanette con Gregory no eran sólo por pasar demasiadas noches bajo las estrellas y muy pocas en casa. Tras muchos meses de "pláticas a la luz de la luna", se dio cuenta de que Gregory estaba viviendo su vida soñada y, por lo tanto, no tenía por qué cambiar nada. Jeanette tuvo que admitir que estaba con alguien que nunca iba a encajar en su mundo, y la verdad era que ella no tenía ni la más mínima intención de adaptarse al de él. No le gustaba la "vida de caballo", que era como ella la llamaba, y sabía que no era justo esperar que Gregory cambiara. Pero seguir con esa relación tampoco era justo para ella.

A pesar de sus dudas, Jeanette siguió con él ¡dos años y medio más! Finalmente, cuando Gregory le dio el ultimátum de casarse con él o marcharse, decidió terminar la relación. Aunque fue su propia decisión, tardó casi un año en sentirse preparada para intentar amar otra vez. Su evaluación final: "Gregory y yo éramos tan diferentes que la relación nunca hubiera funcionado. Los dos perdimos cuatro años de tiempo invaluable. Dado que ambos queríamos encontrar a alguien con quien casarnos, deberíamos haber terminado en cuanto supimos que no iba a funcionar".

Jeanette se quedó porque había "química" y porque "nos amábamos como si no fuera a haber un mañana". ¡Acepto que sea difícil dejar algo así! Y algunas veces hasta es suficiente si ambas partes aceptan que no quieren casarse. Pero la mayoría de la gente quiere por lo menos la "opción" de poder casarse; por lo tanto, proseguir una relación que no tiene ese fin puede ser una pérdida de tiempo precioso.

¿ESPERAS QUE CAMBIE?

Otra razón por la que podemos quedarnos demasiado tiempo en una relación es que esperemos que la otra persona vaya a cambiar. Nos decimos: "Encontré a la persona perfecta para mí. Si tan sólo él/ella pudiera cambiar esto o lo otro, estar juntos sería maravilloso". Escúchame: ¡esa actitud es muy peligrosa! *No* puedes hacer que alguien cambie. Es muy importante que lo entiendas. Es tan tentador intentarlo cuando encontramos a alguien que nos parece *tan* irresistible. He escuchado a mucha gente (mujeres especialmente) decir cosas como: "Tiene tanto potencial. Yo puedo hacer que cambie". Se atan a alguien que le falta al respeto a los demás, a quien no le gustan los animales, dice demasiadas groserías, fuma, bebe demasiado, le gusta la pornografía, adora el rock pesado, odia las grandes ciudades, ve el futbol los lunes por la noche con sus amigos, es alérgico a los gatos, caza, usa la caminadora para colgar su ropa, prefiere los hot dogs al caviar, es de derecha o de izquierda, es un esnob, no sale del gimnasio... ¡y creen que van a poder cambiarlo!

Te voy a dar un buen consejo: no pierdas el tiempo atrayendo *posibilidades*. ¡Usa tu energía para atraer a la persona que ya es la ideal para ti! Busca a alguien que *ya* tenga las cualidades que quieres encontrar. A nadie le gusta que intenten cambiarlo, o que lo fastidien o que lo juzguen. Es cierto que en cuanto dos personas tienen una relación hay cosas que cada uno tendrá que modificar o sobre las cuales deberá intentar llegar a un acuerdo con la otra persona para vivir juntos en armonía. (¡Como dije, sigo intentando convencer a mi marido de que baje la tapa del baño!) Pero, por lo general, no puedes hacer que alguien cambie, ¡así que ni siquiera lo intentes! Si no te gustan las cualidades de tu pareja, acéptalo como es o rompe con él/ella y busca un compañero que sí tenga esas cualidades que estás buscando. Cíñete a tu guión para encontrar a tu alma gemela y no te desvíes sólo porque creas que vas a poder lograr que alguien se amolde a ti. ¡No será así!

¿TE QUEDAS POR LOS "BENEFICIOS"?

Otra de las razones por las que alguien se queda con una persona que no es totalmente ideal es porque se convence de que "las cosas están bastante bien, por ahora". O tal vez porque le gustan los "beneficios" que vienen con la relación, como el "sexo gratuito" o un estilo de vida lujoso (restaurantes caros, boletos para el teatro o para conciertos, entrar a un círculo social más elevado, etcétera). Y otras personas se quedan porque no quieren trastornar la vida de sus hijos o porque su situación actual funciona bien para criarlos. ¿Y qué pasa si estás tratando de encontrar a tu "amado"? ¿Podrás hacerlo si estás "esperando el momento oportuno" con alguien más? Hacerlo limita en gran medida tus oportunidades de encontrar a la mujer o al hombre perfectos, además de no ser justo para la persona con quien no piensas casarte. A veces tienes que preguntarte qué es lo que realmente quieres. Si todo lo que tienes en común con tu pareja es la química, como en el caso de Jeanette y Gregory, ¿te basta para estar satisfecho el resto de tu vida? ¿Quedarte en una relación "cómoda" logrará hacer que tu corazón palpite aunque no haya mucho amor en la pareja? Veamos el caso de Mike y Marie, quienes llegaron a un punto en el que tuvieron que hacerse estas mismas preguntas.

ARREPENTIRTE DE LOS AÑOS QUE DESPERDICIASTE

Mike y Marie, ambos cincuentones, eran supervisores de áreas protegidas que trabajaban en diferentes barrios de una ciudad grande del Medio Oeste. Durante años se vieron de vez en cuando por motivos de trabajo y aprendieron a respetarse y admirarse mutuamente. Un día que estaban con un grupo de colegas, Marie mencionó que había perdido a su marido por un melanoma. La esposa de Mike había fallecido años atrás.

Sorprendidos al saber que ambos estaban solos, estuvieron platicando después de la reunión y quedaron en salir a cenar. Esto creció hasta convertirse en una relación estable que Mike describía como "cómoda". Tenían el mismo trabajo en común, disfrutaban de la ciudad y salían con sus amigos; sin embargo, realmente no había "chispa" entre ellos. Estaban satisfechos, pero nada más.

Y cierto día, de repente, tras cinco años de salir juntos, Marie le dijo a Mike que estaba "totalmente enamorada" de alguien más y que pensaba casarse con él (¡lo que hizo tres meses después!). Mike estaba conmocionado, pero admitió que a ninguno de los dos le había pasado por la cabeza casarse con el otro. De hecho, habían comentado que probablemente nunca se casarían porque tenían una vida muy cómoda tal y como estaban. Pero mientras se decían eso, muy dentro de ellos ambos esperaban encontrar a la persona "perfecta-para-mí". Inesperadamente, cierto día, Marie "se tropezó" con "el amor de su vida".

"Hoy en día me arrepiento", dice Mike, "porque yo quiero lo que Marie tiene: un gran amor. Los dos sabíamos que nuestra relación no iba a funcionar, pero prolongamos lo inevitable. Hubiera sido mejor que hubiese empleado ese tiempo en buscar a la persona perfecta para mí, que es lo que Marie tiene ahora."

HACIENDO INVENTARIO: EVALUACIÓN SEMESTRAL

¿Cómo puedes saber si debes terminar con tu pareja actual y enfocarte en encontrar a tu alma gemela? Hazte estas preguntas:

1. ¿Qué me parece importante de una relación? ¿Estoy recibiendo esas cosas de la persona con la que estoy saliendo? ¿Mi pareja concuerda con el guión que escribí?
2. ¿La persona con la que estoy saliendo está dispuesta a hablar sobre nuestras diferencias, y si lo está, podemos tomar alguna determinación?

3. ¿Hemos hablado de las cosas realmente importantes de ser una pareja; por ejemplo, cómo manejar las finanzas, pólizas de seguros, hijos, metas, familia y demás temas? ¿Estamos de acuerdo?

4. ¿Respeto a esta persona? ¿Me siento orgullosa de presentárselo a mis amigos y familiares o lo evito porque sé que es un poco "tosco"?

5. ¿Nos divertimos juntos? ¿Nos reímos y hacemos cosas que nos interesan a los dos?

6. ¿Esta persona me deja ser... o noto que siempre tengo que ajustar mis preferencias y mi comportamiento para darle gusto?

7. ¿Mi compañero es atento conmigo? ¿Me pide mi opinión antes de tomar decisiones? ¿Ella hace lo que quiere y espera que yo esté de acuerdo?

8. Si tengo hijos, ¿cómo los trata esta persona? ¿Mi compañero hace el esfuerzo de pasar tiempo con ellos y les habla de forma respetuosa? ¿Mi pareja me cela si paso tiempo con mis hijos?

9. ¿Cuáles fueron las razones de las rupturas anteriores de mi pareja? Por ejemplo, si su matrimonio anterior terminó porque viajaba mucho por causa de su trabajo, y continúa haciéndolo, ¿estoy preparado para pasar muchas noches solo cuando nos casemos?

10. ¿Puedo decirme honestamente que esta persona es "el amor de mi vida"... o sigo con un ojo "en la cancha" por si acaso mi "verdadero amor" sigue por ahí?

Tal vez también quieras considerar lo siguiente:

1. Escribe una lista con las características positivas y negativas de tu pareja. Fíjate si las negativas pesan más que las positivas.

2. Compara tu relación con lo que tú piensas que es una relación perfecta.

3. Pregúntate: ¿Esta persona me hace feliz? ¿Era más feliz cuando estaba sola? ¿Con esta pareja estoy deprimido o lloro todo el tiempo?

4. ¿Preferirías estar con alguien más?
5. ¿Puedes verte junto a esta persona durante las siguientes horas? ¿Los siguientes meses? ¿Los siguientes cuarenta años?
6. ¿Tus mejores amigos se alejaron de ti desde que estás con esta persona?
7. ¿Constantemente buscas excusas para no ver a esta persona?

Evaluar si debes seguir con una relación puede ser una de las decisiones más difíciles que tendrás que tomar. Algunas veces casi desearías que tu pareja te facilitara las cosas engañándote. Pero, frecuentemente, la decisión no es tan clara. Si las cosas están "bien" o "aceptables" o "cómodas", es momento de preguntarte qué es lo que quieres de la relación y si tu pareja te lo está dando. Revisa tu lista de "sí quiero" y tu guión. No te engañes pensando en que alguien está "bastante cerca" de tu guión como para que debas "sentar cabeza". Recuerda, ¡tú mereces ser amado! ¡Tú mereces tener al amor de tu vida! Puedes atraer a tu alma gemela hacia ti si te mantienes enfocado en lo que quieres de verdad y no ignoras ciegamente lo que no quieres. Entonces, ¿para qué perder tiempo?

Deshazte de las relaciones negativas que disminuyen tus vibraciones. Después, sintoniza tus buenas vibraciones a fin de encontrar a la persona idónea para ti.

"EL ULTIMÁTUM"

Aunque Jeanette y Gregory, así como Mike y Marie, estaban casi totalmente de acuerdo sobre el rumbo que llevaban sus relaciones (todos sabían que no estaban con "el ideal"), algunas veces las relaciones pueden ser un poco más tortuosas. Con frecuencia uno de los miembros de la pareja quiere casarse, pero al otro no le interesa, no está seguro o no ha llegado "hasta allí" todavía. Por lo general, es entonces cuando "el ultimátum" levanta su horrorosa cabeza. Aunque tiene muy "mala reputación", realmente cumple su cometido. Nadie quiere desperdiciar tiempo con alguien que no comparte sus metas. Por lo tanto, en lugar de alargar una relación durante años esperando que cambie la opinión de tu pareja sobre el matrimonio (algo que es muy raro), usualmente es mejor tener "la Conversación" en un tiempo más razonable, digamos, entre seis meses y un año después de que empezaron a salir.

Así es como funciona. Primero, ten una conversación contigo mismo. ¿Cuáles son tus metas en la vida? ¿Realmente prefieres el matrimonio a la libertad de la soltería? ¿Crees que se te está acabando el tiempo para tener hijos? ¿Puedes verte pasando el resto de tu vida con esta persona? Si tus respuestas a estas preguntas te indican que no estás con la persona correcta, es momento de terminar la relación. ¿Pero qué pasa si tus respuestas te llevan a creer que realmente podrías tener un matrimonio feliz con esta persona? Entonces, es momento de ver si ella siente lo mismo que tú. ¿Cómo hacerlo?

YA ES HORA DE "LA CONVERSACIÓN"

Como planteé, la honestidad es la mejor política. Dile a tu pareja cómo te sientes, de una forma en la que no se sienta amenazado.

"Llevo mucho tiempo soltero y quiero sentir la seguridad de una relación más permanente. Me gustaría saber si nos ves casados en un año más o menos." No permitas que tu pareja te dé una respuesta vaga o que evite la pregunta. Explícale que te parece importante que te dé una respuesta verdadera. Tal vez tu compañero haya estado pensando en el matrimonio, pero no sabía cómo o cuándo tocar el tema. O tal vez esta persona nunca tuvo ni la menor intención de casarse contigo, en cuyo caso es mejor que lo sepas ahora, ¡y no después de pasar varios años juntos viendo cómo otras personas que también querían casarse sí lo hacen!

Pídele una respuesta "directa". Puede ser que no te guste lo que oigas, pero a la larga vas a sentir que hubieras preferido saberlo desde antes y no haber desperdiciado varios años con alguien que no estaba destinado a ser tu esposo/esposa. Deja de conformarte con estar "cómodo" y reflexiona profundamente sobre tu relación.

¿CÓMO LE DIGO QUE "SE ACABÓ" CUANDO LA RELACIÓN "NO FUNCIONÓ"?

Si decides terminar una relación con alguien, quiero que entiendas que hay formas correctas e incorrectas de plantear el tema. Susan, quien es mesera, salía con un médico muy atractivo. Se sentía muy atraída por él y definitivamente quería que la relación continuara. Llevaban unos cinco meses saliendo juntos. Aunque él tenía una agenda muy ocupada, se las arreglaban para verse con regularidad y la llamaba frecuentemente. De pronto, cierta semana, no supo nada de él. Le pareció extraño y empezó a preocuparse por él. Se imaginó que debía estar en coma o muerto; de otra forma, la habría llamado. Finalmente, ella lo llamó una noche durante un descanso en el trabajo sólo para saber si estaba vivo.

Quedó anonadada cuando él contestó el teléfono. Ella le dijo: "¡Ay, qué bien, estás vivo! Sólo quería asegurarme de que estabas bien. Veo que sí, ¡así que adiós!".

Él le contestó: "¿Eso es todo?".

"Sí", dijo ella. "Obviamente no te interesa hablar conmigo o me habrías llamado."

"Bueno", contestó él, "es que no creo que nuestra relación tenga futuro."

Aturdida por su respuesta, finalmente pudo contestarle: "¿Entonces no pensabas volver a llamarme nunca?".

"Exactamente", le dijo.

Ella colgó el teléfono y corrió llorando al baño.

¡Esta no es la forma correcta de decirle a alguien que "se acabó", aunque estés seguro de que la relación "no funcionó"! Todos tenemos sentimientos y merecemos que nos traten con respeto. Nunca termines con alguien dejándole un mensaje en el teléfono o en su correo electrónico. Es una forma de evasión que te libra de la incomodidad de lidiar con los sentimientos del otro. Tu pareja merece que se lo digas en persona. No tengas la conversación de la ruptura en un restaurante. Busca un lugar tranquilo en el que ambos se sientan cómodos y puedan hablar con libertad. Explícale que crees que realmente no están hechos el uno para el otro. No lo culpes ni le señales todo lo que hizo mal. Sólo explícale que ya no te sientes como te sentías antes. Si te enfocas en cómo te sientes *tú*, en que *tú* ya no te sientes atraído, es más fácil que la otra persona lo acepte como la razón del rompimiento. Si eres honesto y sensible sobre la ruptura, le estarás haciendo un favor a los dos. Ambos serán libres para encontrar a la persona perfecta. Siéntete orgulloso de haber escuchado a tu voz interior y de haber seguido tus instintos. Una ruptura nunca es fácil, pero los dos se recuperarán y podrán continuar con sus vidas.

Tarea para encontrar a tu alma gemela

Describe algún momento en el que te quedaste "demasiado tiempo" en una relación por razones equivocadas

_____

_____

_____

_____

_____

_____

_____

_____

_____

_____

_____

_____

_____

_____

_____

_____

Tarea para encontrar a tu alma gemela

Escribe un guión en el que termines una relación que ya no está funcionando. ¿Qué dirías/harías?

_____

_____

_____

_____

_____

_____

_____

_____

_____

_____

_____

_____

_____

_____

_____

_____

_____

_____

_____

_____

_____

13
Almas gemelas

En este momento, espero que ya tengas la suficiente claridad para entender cómo funciona la Ley de la Atracción. Ahora me gustaría compartir contigo algunas lecciones finales que aprendí de la gente que entrevisté para buscarle pareja, que te ayudarán a entender cómo es que las personas llegan a saber que encontraron a su alma gemela.

EL MOMENTO OPORTUNO ES IMPORTANTE

Ya identificaste lo que "no quieres", aislaste lo que "sí quieres" y escribiste tu guión. Estás vibrando en una frecuencia alta y recitando tu guión. ¡Excelente! Pero podrías seguir pensando: "¿Y dónde diablos está mi alma gemela? ¡Estoy haciendo lo que tengo que hacer, estoy vibrando hasta el punto que creo que voy a explotar y no aparece nadie!". También es importante ser paciente, además de distanciarte del resultado. Haz lo que tienes que hacer y entiende que tu alma gemela ya viene en camino. Pero es importante que *tomes distancia*. El universo está esperando que te retires.

Muchos de nosotros no queremos retirarnos ni distanciarnos del resultado. Si lo hacemos, no hay dramatismo.

Siempre estamos intentando que "las cosas sucedan". Si lo hacemos, por lo menos podemos decir: "¡Oye, lo intenté con todas mis fuerzas!". La verdad es que no hace falta que te esfuerces tanto. No tienes que hacer que algo suceda. Sólo tienes que recitar tu guión, creer, sentir y esperar. Y tener un poco de paciencia. Tal vez la persona ideal para ti no viva en tu misma calle. Puede ser que tú vivas en una ciudad y él esté viviendo en otra. Ella puede estar tramitando su divorcio y tal vez todavía no esté lista para conocerte o tal vez en este momento está retirada del mundo de las citas y se está enfocando en sí misma.

El universo se va a encargar. Se conocerán en el momento oportuno. Tal vez lo transfieran dentro de seis meses y vaya a vivir a tu ciudad. En cuanto su divorcio sea una realidad, podría ser que te la encuentres en el supermercado. Si yo no hubiera regresado a vivir a Los Ángeles debido a la muerte de mi padre, no habría estado en el lugar correcto, en el momento preciso, para conocer a mi marido. Seis meses antes, él le había rezado a Dios pidiéndole que le enviara a alguien especial, pero yo vivía en Chicago. Las circunstancias, aunque dolorosas, me llevaron a Los Ángeles, y nuestra energía nos acercó. No podemos forzar los sucesos de la vida. El momento oportuno es un absoluto. Yo he vivido en tres estados de este país, y durante esos tiempos específicos conocí a ciertas personas con las que siempre mantendré una amistad, personas sin las que no podría concebir mi vida. La frase "estar en el lugar correcto en el momento preciso" dice toda la verdad. Así, como "por casualidad", he llegado hasta a conseguir algunos trabajos, estando en el lugar correcto y conociendo a la persona indicada.

Hay un dicho en el taoísmo: "La paciencia infinita trae resultados inmediatos". Esto es real cuando hacemos nuestro trabajo interior. No tenemos por qué dudarlo, pues es la ley del universo. Así es como trabaja la energía, de forma simple y sencilla. Si puedes aprender a distanciarte y confiar, las cosas se dan con mayor facilidad que si forcejeas con ellas. Entregando el control liberas al universo para que te traiga todo lo que quieres.

¿ÉL "NO ESTÁ LISTO PARA UNA RELACIÓN" O NO ESTÁ LISTO PARA TI?

Chicas, puede interesarles saber que pocos de los hombres que dicen que no están listos para tener una relación realmente lo consideran así. Aunque pueda ser difícil de aceptar, si te cuentan ese cuento, ¡en realidad quieren decir que no están completamente interesados en ti! Cuando un hombre está interesado en ti, te llamará, sin importar lo ocupado que esté. Se asegurará de tenerte "reservada" para él. Se cerciorará de que tengas planes para el fin de semana, y de que él esté incluido en ellos. Si has estado en una relación durante más de tres meses, y tienes que preguntar cómo están las cosas entre ustedes, es mejor que te sientes porque estás a punto de recibir malas noticias (a menos, desde luego, ¡que te engañe a base de mentiras!).

Por lo tanto, si saliste con alguien, te la pasaste de maravilla, sientes que realmente hay química entre ustedes, pero ya pasó una semana y no has vuelto a saber nada del tipo, *¡simplemente no le interesas!* Las mujeres siempre están tratando de analizar por qué un hombre no las llama. Algunas veces hasta se preguntan si deberían llamarlo. La respuesta es *no*. Cuando le interesas, no sólo te llamará, sino que se asegurará de que sepas que le interesas. Muchas veces un hombre sabe que no está interesado en volver a ver a cierta mujer, pero no puede afrontar rechazarla o lastimarla, así que mejor no vuelve a llamar. La mayoría de los hombres no se sienten cómodos llamando para decir: "Me la pasé muy bien, gracias y buena suerte, que tengas una vida maravillosa". O: "Eres muy linda, pero no quiero volver a salir contigo", especialmente porque corren el riesgo de que la mujer los confronte y les pregunte: "¿Por qué?".

No te quedes sentada pensando en las 101 razones por las que tal vez no te llamó.

Es muy tentador inventar excusas como: "Está muy ocupado en el trabajo", o "Acaba de terminar una relación de mucho tiempo y necesita espacio". O mi favorita: "Me dijo que se está cambiando de casa". Pero ninguna de estas excusas detendría a un hombre resuelto. Cuando un hombre conoce a la mujer ideal, nada le impedirá llamarla o tratar de verla. Y hoy en día, con la innumerable cantidad de medios de contacto –celulares, faxes, *blackberries*, correo electrónico– no existe ninguna excusa para no localizarla.

CUANDO LE INTERESAS A UN HOMBRE, TE "RESERVARÁ" PARA ÉL

Chicas, ¿alguna vez han intentado saber qué es lo que pasa por la mente de un hombre cuando piensa cuán en serio va con ustedes? Esto es lo que dicen los hombres sobre cómo y cuándo saben que ella es "La Mujer Ideal".

1. "Sólo quiero estar con ella. La tengo siempre en mente, aun cuando estoy en el trabajo."
2. "Sencillamente es una corazonada, siento que esta mujer es 'la ideal'."
3. "Me encanta que les guste a mis amigos. Siempre están comentando: 'Realmente es una niña maravillosa', o 'Ustedes dos hacen muy buena pareja' o 'Realmente es sensata. Muy simpática y amable'."
4. "Siento que puedo sentirme orgulloso de llevarla a mi casa a que mi familia la conozca."
5. "Quiero estar con ella y solamente con ella."
6. "Me gusta todo sobre ella. Me gusta cómo camina y cómo se comporta. Me gusta cómo huele. Es tan femenina."
7. "Me siento cómodo con ella. Siento que puedo ser yo mismo."
8. "Siento que quiero protegerla y hacer cosas especiales para ella."
9. "Ella es muy sexy, realmente seductora, y al mismo tiempo es elegante y tiene clase. Me enorgullece que la vean."

10. "Me encanta su apariencia, su olor y lo bien que se cuida. Me hace pensar que siempre lo hará."
11. "Realmente me la imagino como la madre de mis hijos."

NOS LA PASAMOS MUY BIEN, PERO ELLA NO DEVUELVE MIS LLAMADAS

Pasar un mal rato tratando de entender al sexo opuesto no es exclusivo de las mujeres. Los hombres también necesitan conocer "las señales" de que una mujer está realmente interesada. Todas sabemos lo que se siente que un hombre no llame cuando quedó en hacerlo y lo frustrante que es eso para las damas, pero también les sucede mucho a los hombres. Y, por lo general, esto los deja bastante confundidos. Apenas el otro día recibí una llamada de un cliente, Jim, que había tenido una cita encantadora con Verónica. Cuando, al final de la noche, le preguntó si le gustaría volver a verlo, ella le dijo: "Claro, llámame".

Tiempo después, Jim me dijo: "Marla, estoy muy confundido. Llevo tres días llamándola, pero no me regresa las llamadas. ¿Podrías averiguar si en verdad quiere volver a verme?"

Chicos, ¡se los voy a decir duro y directo! Las mujeres la pasan muy mal si tienen que herir los sentimientos de alguien o si están en una situación incómoda. No me importa llamar a la dama y pedirle su opinión sobre mi cliente, pero por lo general no tiene sentido. La respuesta es siempre la misma: "Jim fue encantador, pero no me atrae físicamente".

Por eso no regresa las llamadas. O si por casualidad contesta el teléfono y le vuelven a pedir una cita, podría contestar:

1. "Decidí regresar con mi ex."
2. "Tengo tanto trabajo que no me queda tiempo para una relación."
3. "Me voy de viaje por un par de meses. Tal vez podamos vernos cuando regrese."

4. "Acabo de conocer a alguien más y quiero ver cómo funcionan las cosas."
5. "Decidí que en este momento de mi vida no me interesa tener una relación."

Todas estas son excusas. Así que, chicos, si una mujer no les devuelve las llamadas, simplemente no le interesan. Ella nunca va a ser su alma gemela. Es mejor que sigan su camino.

Tarea para encontrar a tu alma gemela

Describe alguna situación de tu vida en la que el universo concertó "el momento oportuno"

_____
_____
_____
_____
_____
_____
_____
_____
_____
_____
_____
_____
_____
_____
_____
_____
_____
_____
_____
_____

Tarea para encontrar a tu alma gemela

¿Qué tipo de "evasivas" has escuchado de alguien
que no estaba interesado en continuar una relación
(o qué tipo de evasivas has usado tú)?

_____
_____
_____
_____
_____
_____
_____
_____
_____
_____
_____
_____
_____
_____
_____
_____
_____
_____

14
¡Disfruta!

Aquí tienes una recapitulación de los "sí quiero" más importantes que debes recordar. ¡Consulta con frecuencia esta lista para refrescar tu memoria y entrar en acción! Primero, los pasos principales:

Para la creación deliberada de lo que quieres atraer hacia tu vida:

1. Identifica lo que *no* quieres.
2. Después, identifica lo que *sí* quieres.
3. "Visualiza" lo que quieres.
4. Espera, escucha y permite que el universo te lo mande.

Consejos adicionales:

❤ Tómate unos minutos de cada día para soñar, crear, desear y dejar fluir la energía hacia esos deseos.

❤ Repite muchas veces al día tus afirmaciones sobre lo que quieres y por qué lo quieres. Emociónate con ellas y asegúrate de que esté fluyendo energía positiva mientras las repites.

❤ Mantente en el presente. Tu pasado no se parece a tu presente ni a tu futuro.

❤ Recuerda que tú eres el creador de tu experiencia.

❤ Sigue escribiendo y revisando tus maravillosos guiones. ¡Hazlos extravagantes, divertidos y fantásticos! Asegúrate de pronunciarlos en tiempo presente: ya conseguiste lo que deseas.

♥ Sé amable contigo mismo, quiérete y respétate.

♥ Acepta que lo que quieres ya viene hacia ti.

♥ Piensa solamente en lo que sí quieres, nunca en lo que no quieres.

♥ Recuerda, el momento oportuno lo es todo, así que ten paciencia.

♥ Mira la belleza en todas las cosas. Fíjate en las flores, la arquitectura o la sonrisa de un niño.

♥ Siempre busca alcanzar un sentimiento de felicidad y bienestar, para que siempre te estés moviendo hacia eso que deseas.

♥ Cuando las emociones te hacen sentir bien, estás permitiendo que tu deseo se cumpla. Por lo tanto, ¡*siéntete* bien todo el tiempo!

♥ Habla sobre lo bien que están las cosas y no sobre lo contrario.

♥ Mantén la mente abierta para conocer gente que no "encaje" en tu "perfil" habitual.

♥ Cerciórate de verte y sentirte lo mejor que puedas. Evalúa lo que tú "tienes para dar".

♥ Esfuérzate por ser divertido y de trato fácil. Sé el tipo de persona con la que te gustaría salir a divertirte.

♥ Tómate unos minutos de cada día para estar en silencio. Elimina el dramatismo de tu vida diaria.

♥ Aprecia las cualidades únicas de otras personas.

♥ Disfruta tu vida. Cultiva otros intereses aparte de "la cacería de tu alma gemela".

- ❤ Siempre sé cortés y puntual. Trata a los demás como te gusta que te traten a ti.
- ❤ Toma tiempo para ti mismo. Llénate hasta el tope, para que puedas desbordarte al darle a otra persona.
- ❤ Recuerda que como piensas es como te sientes; como te sientes es como vibras; y como vibras es como atraes.

ES TU LIENZO, TU CREACIÓN

No puedes equivocarte. No puedes cometer un error. Esta idea de crear lo que deseas en tu vida a través de los sentimientos puede ser nueva para ti, y no tiene nada de malo. ¡Funciona! Diviértete. Conviértela en un juego. Práctica la técnica para dejar fluir tu energía, vibrar y escribir nuevos guiones. Escribe tus propias afirmaciones y vive agradecido. Sobre todo, vive en el presente. Lo que pasó o no pasó en el pasado, no tiene nada que ver con el hoy, a menos que lo arrastres contigo, lo cual mantendrá tu energía baja.

Aprende a *sentir* tus deseos en vez de sólo pensar en ellos. Tienes el mundo a tus pies. Al aprender a controlar tu flujo de energía, aprendes a tomar el control de tu vida. ¡Vas a obtener lo que esperas, así que espera lo mejor!

15

Pregúntale a Marla:

dudas y respuestas sobre citas

Una de mis funciones como buscadora de parejas es contestar muchas preguntas y ofrecer consejos prácticos para ayudar a mis clientes a tener éxito. Las siguientes son algunas preguntas frecuentes sobre el proceso de las citas y las relaciones.

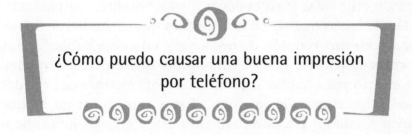

¿Cómo puedo causar una buena impresión por teléfono?

Para aquellos que estén usando una agencia de búsqueda de pareja, el primer contacto con su candidato será por teléfono. Esta conversación es muy importante. Puede determinar si se conocerán o no. Desafortunadamente, muchas personas quedan descartadas en los primeros minutos de una llamada telefónica.

Yo sé que puede ser intimidante y provocar mucha tensión el entrar en contacto con un extraño y, al mismo tiempo, intentar ser encantador y causar una buena impresión. ¡Tu alma gemela podría estar al otro lado de la línea! Estos son unos cuantos consejos para que tu primera conversación fluya sin problemas.

Primero, comprende que la persona al otro lado de la línea puede estar un poco nerviosa y que tal vez no se refleje su verdadera personalidad. Intenta que la conversación sea corta para que, cuando se conozcan, tengan mucho de qué hablar. Procura parecer feliz de escuchar al candidato y estar emocionado por conocerlo. He escuchado cientos de quejas de clientes que dicen que la otra persona parecía preocupada, desinteresada o demasiado ocupada como para prestarles atención. Si en realidad quieres conocer a alguien especial para pasar el resto de tu vida, trata a todo mundo con respeto y como tú quieres que te traten.

Hubo un hombre que me dijo que cuando llamó a una mujer con la que tenía similitudes, ella sonaba monótona y desinteresada, le pidió que la llamara después y le colgó rápidamente. Cuando hablé con ella y le pregunté si estaba interesada en hablar y en conocer a este hombre, me contestó: "¡Desde luego que sí! Lo que pasa es que, cuando me llamó, estaba en una reunión de negocios y no podía hablar". ¡Hay formas de hacerle saber a un hombre que ése no es un buen momento para hablar sin pulverizar sus esperanzas! Puedes decir algo como: "Hola, Juan. ¡Estoy muy contenta de que hayas llamado! En este momento estoy en una junta, pero me encantaría charlar contigo. ¿A qué hora te conviene que te llame?".

Una de las historias más divertidas que he escuchado es la de una mujer que le regresó la llamada a cierto hombre. Conversaron durante diez minutos, pero ella no se sintió demasiado emocionada por conocerlo porque él hablaba en voz baja y parecía preocupado. Cuando charlé con él, me dijo que habló así porque estaba en una biblioteca. Bueno, ¡pero se le olvidó decírselo a ella!

Hoy en día lograr hablar con alguien por teléfono puede ser un problema. Todo mundo está tan ocupado que no es fácil encontrar el momento adecuado para que la otra persona pueda contestar. He escuchado de personas que han pasado semanas tratando de comunicarse el uno con el otro sin lograrlo. ¡Qué frustrante! Muchas personas acaban decidiendo que es una causa perdida, se dan por vencidas y nos piden otro candidato. Y esa no siempre es una buena idea. ¿Qué tal si esa era la persona perfecta para ti? Mi remedio es sencillo: deja un mensaje con unas cuantas opciones de horas en las que puedas contestarle, pídele que escoja la que le convenga y que te deje un mensaje confirmando esa hora. ¡Listo! ¡Tienes una cita!

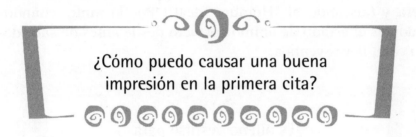

¿Cómo puedo causar una buena impresión en la primera cita?

Llega a la cita lleno de energía e ilusión. Si vas a hacer el esfuerzo y a tomarte tu tiempo para verte bien, ¿no te parece lógico que lo uses para preparar tu estado de ánimo? Este paso es todavía más importante que el atuendo que te pongas o lo bien peinado que llegues. Puedes ser una combinación de Cindy Crawford, Tyra Banks y Angelina Jolie, pero eso no te garantiza que te pidan una segunda cita. Tómate un tiempo antes de la cita –pueden ser quince, cinco o hasta tres minutos– para sentarte, cerrar los ojos, respirar profundamente, entrar en ambiente y visualizar cómo te gustaría que fuera la noche.

Imagina que todo fluye sin problemas. Visualízate pasándotela muy bien con esta persona que puede estar nerviosa, emocionada, frustrada con el juego de las citas o todas las anteriores y más. Olvida todas tus experiencias negativas anteriores. Ya no caben en tu mente ni en tu corazón. Se trata de un nuevo día, una nueva persona y una nueva oportunidad. Afirma que tu experiencia será excelente y llénate de expectativa positiva. Afirma que eres maravilloso y especial y que te mereces una relación perfecta. También puedes afirmar y aceptar que si esta persona no es tu alma gemela, la correcta ya viene en camino. Reconoce que cada nueva persona que conoces puede traer algo interesante y maravilloso a tu vida. Por ejemplo, en una cita con Marcia en la que no sientas química romántica, ella queda tan impresionada por tu personalidad positiva, optimista y divertida que quiere presentarte a Tina, su mejor amiga, ¡quien también está soltera y buscando al "Hombre Ideal"! Por lo tanto, cuando adoptas el estado de ánimo correcto desde antes de salir de tu casa, llevas ventaja.

¿Es bueno vestirse para llamar su atención?

Damas, ustedes definitivamente querrán causar una buena primera impresión. Como saben, los hombres son criaturas visuales y me han dicho que con frecuencia en los primeros tres segundos saben si están interesados o no. ¡Tres segundos! ¿Lo pueden creer? Eso significa que tu "apariencia" puede ser tu triunfo o tu fracaso. He conocido mujeres en la oficina que se veían muy naturales, usaban poco maquillaje y se veían guapas.

Y cuando recibí los comentarios de los hombres con los que había salido, me informaron que ella era agradable, pero que iba tan maquillada que les repugnó. Es posible que cuando queremos vernos bien para una cita se nos pase la mano. La mayoría de los hombres prefieren una cara fresca y bella. Un poco de maquillaje siempre sienta bien, pero no te pases. Lo mismo sucede con el perfume. Entre menos, mejor. Todos tenemos gustos diferentes y, por lo mismo, hasta que conozcas los suyos usa poco perfume. Tu mejor apuesta es algo femenino y que huela a limpio. Algunas mujeres suelen rociarse media botella de un aroma muy fuerte y abrumador justo antes de salir por la puerta. No quieres provocarle a tu cita un dolor de cabeza o un ataque de estornudos.

Ahora hablemos sobre la ropa. Lo que uses en la primera cita también puede ser crucial. Decídete por algo cómodo, con clase, sobrio, elegante y femenino. Todas estas palabras son magníficas para describir la apariencia que debes buscar. No es prudente usar una ultra minifalda y un top muy corto y escotado. Te verías corriente. La imagen que le darías es la de una mujer con la que puede divertirse una noche, pero a la que no llevaría a su casa a conocer a su mamá. Si tienes buen cuerpo, definitivamente usa algo que lo muestre. He escuchado decir a los hombres, en innumerables ocasiones, que en la primera cita, y con frecuencia en la segunda, nunca pudieron saber qué tipo de cuerpo tenía ella porque se puso ropa floja y sin forma. Asegúrate de ponerte algo que sea lo más femenino posible. Además, acuérdate de preguntarle a tu cita a qué tipo de evento van a ir. ¿Necesitas ropa para ir a un parque, a la playa o a escalar? Si van a ir al zoológico y ahí caminarán todo el día, no querrás usar zapatos de tacón.

Te sorprendería cómo la ropa puede ser el éxito o el fracaso de una cita. Harold invitó a Liz a una exposición de arte y después a dar un largo paseo por el parque. Ella llegó con blusa, falda y tacones de diseñador. Él se sintió frustrado porque con eso no iba a poder caminar mucho tiempo. Se ofreció a llevarla a casa para que se pusiera tenis, pero ella le dijo que no tenía.

Entonces ofreció llevarla a una tienda de deportes y comprarle unos, pero ella se sintió mal por ello y no aceptó. Así que no sólo no pudieron ir a la exposición como habían planeado, sino que además el ambiente de la cita se estropeó. Harold me dijo después que prefiere una mujer más práctica, alguien que pueda ponerse unos pantalones y un par de tenis y se deje llevar.

¿Quién paga qué y por qué?

Si estás inscrito en una agencia exclusiva de búsqueda de pareja, especialmente en el que las damas no pagan inscripción, sabes que lo tradicional es que el hombre pague lo que gasten en la cita. Pero si usas algún servicio de internet, probablemente pagará cada quien la mitad. Muchas veces es más fácil salir a tomar un café. Hoy en día los papeles del hombre y la mujer están un poco mezclados. Las mujeres piden igualdad en todas las áreas, pero en lo referente a las citas, todavía nos encanta que nos traten como a una dama, que nos protejan y nos cuiden. Muchas mujeres "prueban" al hombre cuando llega la cuenta. Ella saca su cartera y dice: "¿Cuánto debo?". Si él le deja pagar la mitad, le parece que es un tacaño y lo más probable es que no vuelva a salir con él.

Cuando yo salía con alguien, nunca sabía qué hacer. Después de mi divorcio, recuerdo que le pregunté a una mujer soltera que salía mucho: "¿Y él va a pagar la cena?". ¡Ella me contestó que el hombre tiene suerte de poder cenar con una mujer tan bella y fascinante y debería de estar contento de pagar la cena! Así que seguí su consejo y todo salió bien.

Pero no puedes querer recibir todo el tiempo. Si continúas saliendo con un hombre, sería agradable que lo invites de vez en cuando o que lo invites a tu casa y cocines para él. Yo lo hice con mi nuevo marido. Durante las primeras semanas, él pagó las cenas y el vino. Entonces yo quise corresponderle y comencé a cocinar para él un par de noches a la semana. Soy vegetariana y una de mis especialidades es un salteado de vegetales con tofu. A mí me pareció delicioso y creí que a él también. En realidad no le gustó ni un poquito, ¡pero era tan amable que no me dijo nada sino hasta dos años después! Sufrió en silencio mi salteado con tofu sólo para estar conmigo.

Por lo tanto, señoritas, dejen que el hombre pague la cena o las copas, pero muéstrenle su agradecimiento con un "gracias" sincero y, si continúan viéndose, con una invitación de vez en cuando.

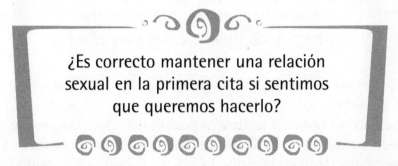

¿Es correcto mantener una relación sexual en la primera cita si sentimos que queremos hacerlo?

Probablemente has escuchado decir: "¡Nunca te acuestes con alguien en la primera cita!". Si crees que alguien podría interesarte a largo plazo, no mantengas una relación sexual con él/ella en la primera, segunda ni en la tercera citas. La mayoría de los hombres opinan que si una mujer se acuesta con ellos de inmediato, probablemente suele hacerlo con otros. Hace poco, Carla me llamó después de conocer a un hombre guapísimo que yo le había presentado. "¡Genial!", me gritó en el teléfono. "¡Es maravilloso! ¡Nos la pasamos increíblemente bien! Tenemos mucha química, pero recordé lo que me dijiste sobre no acostarme con un hombre demasiado pronto, y fue difícil no hacerlo. Sentía la química bullendo y me costó trabajo resistirme, pero lo logré." La felicité y le aconsejé que no tuviera sexo con él sino hasta que su relación fuera estable.

Cuando dos personas intiman de inmediato, se pierden todo el proceso del cortejo, el coqueteo, enamorarse uno del otro y la maravillosa etapa de descubrir cómo es la otra persona. Sin darse cuenta, ya se lanzaron a ser "novios" sin siquiera conocerse. Como esta es una situación muy extraña, ninguno sabe cómo comportarse. Y, chicas, definitivamente corren el riesgo de que ese hombre nunca vuelva a llamarlas.

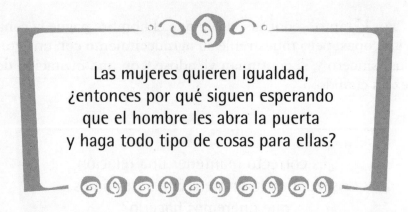

Las mujeres quieren igualdad,
¿entonces por qué siguen esperando
que el hombre les abra la puerta
y haga todo tipo de cosas para ellas?

Cuando un hombre le abre la puerta del coche a una mujer, no es porque ella sea demasiado débil para poder hacerlo. Lo hace para demostrarle que le interesa. Lo hace para decirle que es alguien especial. Cuando la mujer se siente así una y otra vez durante una cita, empieza a relajarse porque se siente halagada y protegida. La mujer moderna tiene muchas necesidades. Éstas son unas cuantas:

1. Necesita alguien a quien le importe su bienestar y que intente entender sus sentimientos.
2. Necesita alguien que la ayude y la respalde para que no sienta que va sola por la vida.
3. Necesita sentirse atendida por alguien que de verdad se preocupe por ella.
4. Necesita saber que su amor es correspondido.
5. Necesita alguien que tome la iniciativa a la hora de hacer planes.

¿En verdad ser honesto es lo más recomendable?

Últimamente he recibido muchas llamadas de hombres sobre mujeres "informales". Escuché tres historias frustrantes que te voy a contar. La primera trata sobre un caballero muy amable, llamado Joe, que tenía programada una cita con Cindy. Cindy llamó a Joe para confirmarle la cita y pedirle si podrían verse una hora más tarde porque tenía algo que hacer. Él aceptó y fue a recogerla a las 7:45. Llegó a la puerta y tocó, pero no obtuvo respuesta. Volvió a tocar varias veces y hasta gritó su nombre para ver si ella lo oía. Las luces de la casa estaban encendidas y había unos perros ladrando. Siguió sin obtener respuesta. Lo había dejado plantado. ¡Qué frustración!

El siguiente caballero, Peter, había concertado una segunda cita para un sábado por la noche con Pamela. Llegó a su casa con un ramo de rosas. Tocó a la puerta. No hubo respuesta. La llamó a su celular. Ella contestó. Le dijo que estaba menstruando y no podía salir. A él le pareció oír ruido de fondo, como si ella estuviera en un restaurante. ¡Estaba furioso!

Y después tenemos a Scott. Hizo una cita para un lunes por la noche con Julia. Hablaron el viernes anterior y fijaron la hora y el lugar.

Ella incluso insistió en cierto restaurante que conocía y él aceptó. Scott llamó a Julia el domingo, sólo para confirmar. La contestadora tomó la llamada, así que le dejó un mensaje diciendo que se veían al día siguiente. Ella no le regresó la llamada, por lo tanto, la siguiente noche contrató una nana para su hijo y condujo treinta kilómetros para verla. Ella nunca llegó, y ni siquiera lo llamó. No necesito decirte lo enojado, frustrado y dolido que estaba.

He pensado mucho en las razones por las que a la gente le da tanto miedo ser honesta; por qué no somos capaces de decir: "Mira, probablemente eres un tipo súper encantador, pero no me gusta cómo te oyes por teléfono y creo que mejor no quiero conocerte" o "me la pasé muy bien contigo, pero no siento nada de química. Gracias por todo. Te deseo lo mejor". En lugar de eso, los dejamos plantados, evitamos sus llamadas o inventamos excusas tontas.

Estamos tan preocupados por lastimar los sentimientos de otra persona o de quedar como "el malo de la película" que no nos permitimos ser honestos y francos. Yo misma he visto las dos caras de la moneda. Solía inventar excusas tontas para librarme de salir con un hombre. Pero también recuerdo a un hombre que me gustaba mucho tras haber salido con él dos o tres veces. Habíamos quedado en salir cierta noche y estaba realmente emocionada. Me arreglé mucho y me senté a esperar. Se suponía que me iba a recoger a las 7:30 pm. Bueno, llegaron (¡y pasaron!) las 7:30, las 8:30, las 9:30 y las 10:30. Me fui llorando a la cama. Deberíamos poder hablar claro. Hay formas de ser honesto y, al mismo tiempo, diplomáticos y sensibles.

Recientemente presenté a Will con Lena. Después de su primera cita, Will me envió un correo electrónico contándome que estaba emocionado y que quería conocerla mejor. Me dijo que definitivamente había química. Lena también me expresó lo mucho que le había gustado Will y que le gustaría volver a verlo. Lena tiene cuarenta y cuatro años y Will sesenta y cinco.

A Lena no le molestaba la diferencia de edades, pues le gustan los hombres mayores. Pasaron algunas semanas y salieron unas cuantas veces más. Después recibí un correo electrónico de Will preguntándome si Lena me había comentado algo sobre él. Sentía que ella estaba un poco fría. La llamé, y me contestó que aunque él era un hombre maravilloso y tenía todas las cualidades que ella estaba buscando, era la copia exacta de su papá. Me dijo que no tenía nada que ver con la edad; era su apariencia y su forma de comportarse. Sencillamente "eso no era lo que quería". También me dijo que pensaba llamarlo e inventar cualquier excusa –por ejemplo, que había conocido a alguien más o que tenía mucho trabajo como para iniciar una relación. Yo le pregunté: "¿Por qué no le dices la verdad? Él no puede evitar parecerse a tu padre, y te agradecería que le dijeras la razón verdadera. Estoy segura". Claro que Will se iba a decepcionar de cualquier forma, ya fuera que Lena le dijera la verdad o inventara algo; entonces, ¿por qué no ser honestos? La gente realmente prefiere saber la verdad, aunque duela un poco. Les ayuda a mejorar sus citas futuras, además de que respetan más a una persona honesta. El viejo adagio "La honestidad es la mejor política" es una realidad.

¿Cuándo es el mejor momento para empezar a salir sólo con él/ella?

Cuando les doy consejos para las citas a mis clientas, siempre les digo que "salgan con alguien, como lo hacen los hombres", hasta que hagan un compromiso. Y con frecuencia recibo llamadas telefónicas o correos electrónicos del tipo: "Hola, Marla. Oye, gracias por toda tu ayuda. He tenido unas cuantas citas increíbles, pero acabo de conocer a un chico maravilloso la semana pasada en una fiesta. Sólo hemos salido una vez, pero me gusta mucho y creo que voy a dejar de salir con otras personas mientras veo si las cosas funcionan con él" o "Hola, Marla. Gracias por presentarme a Mark.

Tiene todo lo que yo quiero, así que no me busques más citas por el momento".

¡No! ¡No! ¡No! ¿Por qué jugarle todo a una sola carta después de una única cita, o unas cuantas, que viene a ser lo mismo? Chicas, pueden estar seguras de que los hombres no hacen eso. Desde luego que ocasionalmente puede suceder que dos personas se conecten desde el primer momento y se vuelvan inseparables... bueno, eso fue lo que nos sucedió a mi ex marido y a mí..., pero lo más frecuente es que el hombre continúe buscando por si encuentra algo mejor, y que esté probando cómo le va contigo sin descartar otras posibilidades. Me choca que las mujeres dejen de salir con más gente cuando están saliendo con alguien, porque yo sé que ellos no hacen lo mismo. ¡Me siguen llamando para que les busque otras chicas! Hasta que no tengas algún tipo de compromiso con un hombre, mi consejo es que continúes saliendo, como si fueras hombre. De esa forma no malgastas tu tiempo ni sales tan herida si él decide no verte más.

Además, hablar de no salir con nadie más, o de matrimonio, o una declaración de amor antes de tiempo, casi siempre termina en desastre. Recientemente presenté a Emily y Greg. Greg vive en Miami y Emily en Los Ángeles. Greg va a empezar a viajar de una ciudad a otra muy pronto debido a su trabajo y le pareció bien conocer mujeres de Los Ángeles. Greg viajó hasta aquí y llevó a Emily a cenar y después fueron a un club de jazz. Realmente se cayeron bien desde el primer momento. Ella le gustó mucho a él y hasta le pidió que fuera a visitarlo a Miami. Él regresó a su ciudad al día siguiente, pero la llamó dos veces al día durante la siguiente semana. En verdad estaban disfrutando conocerse. Greg le regaló a Emily un boleto para que fuera a visitarlo, apenas diez días después de conocerla. ¡Ella estaba fascinada y tomó el avión para ir a verlo!

Emily llevaba unos cinco días con él, cuando Greg me llamó. Me dijo que ella era una mujer adorable, cálida, y que se estaban divirtiendo mucho juntos. A ella le encantaba su perro, adoraba su casa, era amable y todo le parecía bien. Pero él se había decepcionado completamente cuando ella le dijo que lo amaba y empezó a hablar de matrimonio. ¡Se habían conocido hacía menos de dos semanas! Se sentía muy presionado y había decidido terminar la relación. Si Emily hubiera dejado que las cosas siguieran su cauce natural y se hubiera dedicado a disfrutar el tiempo que estaba pasando con Greg, ¿quién sabe cuál habría sido el resultado? Pero la forma en que manejó la situación hizo que Greg saliera huyendo. Por lo tanto, señoritas, ¡mantengan la calma, tómense su tiempo, disfruten el proceso y salgan como si fueran hombres!

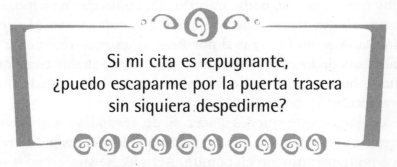

Si mi cita es repugnante, ¿puedo escaparme por la puerta trasera sin siquiera despedirme?

Recientemente recibí una llamada de un cliente contándome sobre su cita de la noche anterior. Ronald había invitado a Stella a un lindo restaurante en el centro, que tiene un precioso patio interior y una fuente. Se sentaron y pidieron una copa de vino y algo de aperitivo. A Ronald, Stella le pareció atractiva, aunque un poco orgullosa. Él consideró que la conversación iba bastante bien, y pidieron otra copa de vino. Y entonces Stella le dijo que iba un momento al tocador.

Después de quince minutos, Ronald comenzó a preocuparse. Se levantó y comenzó a buscarla por el restaurante. Le preguntó al capitán y al mesero si la habían visto, pero le contestaron que no. Regresó a la mesa, esperó otros quince minutos y después le marcó a su celular. Le dejó un par de mensajes que no tuvieron respuesta. Al final se fue a su casa. Se habían quedado de ver en el restaurante, por lo que no conocía su dirección. Estaba muy preocupado por ella, pensó en llamar a la policía. Le dije que yo la llamaría e intentaría saber qué había pasado. La llamé tres veces y le mandé dos correos electrónicos, pero tampoco obtuve respuesta.

Después de unos cuantos días, yo también estaba preocupada, así que le dejé otro mensaje en su correo de voz diciéndole que si no sabía algo de ella al día siguiente a más tardar, llamaría a la policía y le pediría que fuera a su casa. Pues bien, inmediatamente me mandó un correo electrónico ofreciéndome disculpas por no responder. Me decía que Ronald le había parecido poco atractivo. Que sus dientes se veían muy raros y que no podía mirarlo. Me contó que no supo qué hacer, así que decidió decirle que iba al baño e irse. Me dejó atónita. Me sentí muy mal por Ronald, porque realmente se había quedado preocupado por Stella y no podía creer que ella se hubiera ido sin decirle ni una palabra. Él quedó muy avergonzado y dolido.

Lo mejor que puedes hacer si de verdad ya no puedes seguir ahí es cortar la cita diciendo que lo sientes pero crees que no tienen mucho en común. Agradécele su tiempo y sus atenciones y deséale lo mejor. No hay razón para herir los sentimientos de alguien desapareciendo sin decir adiós.

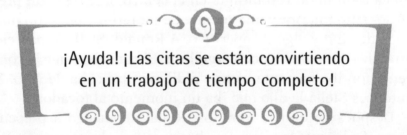

¡Ayuda! ¡Las citas se están convirtiendo en un trabajo de tiempo completo!

Si estás inscrito en una agencia de búsqueda de pareja o en una página de internet, ¡podrías tener más citas de las que puedas manejar! Jay estaba inscrito en dos páginas de internet y muy decidido a encontrar pareja, así que salía unas diez veces por semana a tomar café con alguien. Como te podrás imaginar, se hartó muy rápido. No sólo se estaba cansando de repetir la historia de su vida a cada mujer, sino que ya no se acordaba con quién había salido y lo que le había contado cada una. También empezó a sentirse desalentado y deprimido porque no encontraba a nadie con la química correcta. Definitivamente Jay necesitaba "descansar" de las citas.

Algunas veces nos presionamos demasiado en lo que concierne a encontrar a la persona ideal, y sentimos que deberíamos de salir la mayor cantidad de veces posible para cumplir con esta misión. Puede ser provechoso que tomes un tiempo para ti y que no vayas a ninguna cita durante una temporada, para recuperarte y para que puedas mantener una actitud positiva.

Julia tenía ciertos comentarios interesantes sobre Charles. Me dijo que aunque él le había parecido muy guapo y simpático, sentía que estaba fingiendo y parecía estar un poco hastiado y amargado. Habían hecho planes para cenar, pero cuando llegaron al restaurante, Charles sugirió que mejor tomaran unas copas en el bar. A Julia le pareció que lo hacía para examinarla y ver si le parecía lo suficientemente buena para pagarle la cena. Además, Charles le dijo a Julia que ya había ido a muchas citas concertadas por medio del servicio de búsqueda de pareja. Que las cosas no estaban funcionando y que se estaba empezando a hartar.

Charles no sólo arruinó sus probabilidades con Julia, sino que también hizo que ambos perdieran el tiempo. Charles realmente necesitaba "descansar" de las citas durante cierto tiempo para recuperar la confianza y una actitud positiva. También es bueno "descansar" después de una ruptura, sobre todo tras una relación larga o una separación muy difícil. Esto te proporcionará tiempo para sanar y hará menos probable que te pases la noche entera hablando de tu ex.

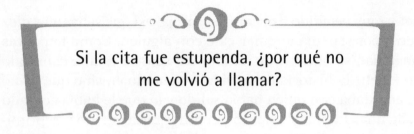

Si la cita fue estupenda, ¿por qué no me volvió a llamar?

Sé por las conversaciones con mis clientes masculinos que hasta el más mínimo detalle puede ser el factor decisivo para que un hombre decida volver a llamar. Puede no volver a llamar después de pensarlo unos cuantos días. Por ejemplo, tal vez la mujer se pasó la noche mirando a su alrededor y le pareció que no le prestaba mucha atención. Tal vez ella estaba demasiado maquillada, llegó veinte minutos tarde sin avisarle, hizo comentarios negativos sobre los niños y él tiene dos hijos... puede ser por cualquier cosa. Y a no ser que tengas la suerte de que la persona que te propone las citas sea honesta sobre los comentarios que recibe de ti, probablemente nunca sepas la razón. El otro día, cierto hombre decidió no volver a llamar a una chica porque tiene un perrito. Él siente que las dueñas de perros pequeños los quieren más que al hombre con el que comparten su vida. Otro, salió con una mujer una vez, después fue a su departamento y vio que no tenía muebles.

"Ni siquiera una astilla." Me dijo que no quería salir con una mujer que no tenía muebles porque eso demostraba que no era organizada. Y otro más me dijo recientemente que aunque la mujer que conoció era dulce y atractiva, tenía una mala higiene bucal –la encía un poco retraída y los dientes amarillentos– y que no podía pensar en besarla.

Cuando yo salía, ¡también se me hacía muy difícil entender por qué un hombre decía que me llamaría y después no lo hacía! ¡Recuerdo varias citas muy divertidas! Yo sabía que él también se estaba divirtiendo. Hasta llegaba a haber química –tal vez coqueteábamos y nos besábamos mucho–, después llegaba la hora de la despedida y él decía: "Me la pasé muy bien. Yo te llamo". Yo balbucía: "Yo también". Y me quedaba flotando en una nube, muy emocionada por habérmela pasado tan bien con un hombre maravilloso que quería volver a verme. Llegaba el día siguiente y él no llamaba. "Bueno", pensaba, "probablemente tiene mucho trabajo. Llamará mañana". Llegaba mañana y él seguía sin llamar. Pasaba una semana, y después otra y otra. Hasta que, finalmente, me daba cuenta de que este hombre tan "maravilloso" no iba a llamar jamás.

Recuerdo una situación especialmente dolorosa en la que salí con un tipo unas cuantas veces y después (estúpidamente) pasé la noche con él. Al día siguiente me abrazó y me besó apasionadamente y me dijo: "Te llamo mañana". Yo me sentía segura y confiada. No llamó ni al día siguiente, ni al siguiente. Al final, yo lo llamé al trabajo. Me dijo que estaba en una junta y que me llamaría después. Nunca lo hizo. Lo volví a intentar unos cuantos días después. Me vino con el mismo cuento, y no volvió a llamarme. ¡Me sentí como una idiota redomada! Pensé que había hecho algo mal o que había algo malo en mí. Ahora sé que la razón por la que los hombres dicen "Te llamaré" al final de una cita, cuando en realidad no tienen ni la más mínima intención de hacerlo, es sencillamente porque, cualquiera que sea la explicación, no sienten química para tener una relación a largo plazo contigo, pero no quieren herir tus sentimientos ni pasar un momento incómodo o desagradable.

No importa lo bien que se lo hayan pasado o cuánta química hayas sentido tú. Ellos tienen una razón, y tal vez nunca sepas cuál es, pero sencillamente no están interesados en seguir viéndote. Su intención no es comportarse como unos cretinos; solamente que no saben qué más podrían hacer. Las mujeres también hacen lo mismo. Pueden decirle a un hombre: "Me encantaría volver a verte. Llámame". Y cuando él llama, no le regresan la llamada, esperando que él "lo entienda". Yo soy culpable de haber cometido ese crimen en el pasado, porque no quería herir los sentimientos de un hombre. Si tu cita no te vuelve a llamar, esa persona no es para ti, es así de simple. ¡Anótalo como una experiencia divertida y sigue con tu vida!

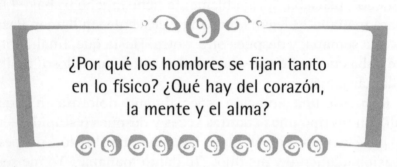

¿Por qué los hombres se fijan tanto en lo físico? ¿Qué hay del corazón, la mente y el alma?

Día tras día, escucho a los hombres decirme que están buscando ¡una "mujer de 10"! Aunque ellos no valgan más de "4", creen que lo menos que se merecen es una mujer bellísima y mucho más joven que ellos. ¡Que Dios los ampare, pero esa es la parte más frustrante de mi trabajo! Y muchas mujeres me preguntan: "¿Qué, a los hombres sólo les interesa la apariencia? ¿Sólo quieren una esposa que mostrar como trofeo? ¿Qué pasa con el alma... ni siquiera les interesa?".

Sé que los hombres pueden parecer muy superficiales cuando juzgan a una mujer sólo por su apariencia. En el servicio especializado para el que trabajo, me siento fatal rechazando a mujeres fabulosas porque estoy segura de que mis clientes hombres no van a querer conocerlas basándose en cómo se ven. Y como los hombres para los que trabajo pagan mucho dinero, esperan obtener la luna y las estrellas. Las preferencias masculinas están biológicamente programadas para buscar signos atractivos de juventud y buena salud a fin de poder determinar cuáles son las mejores hembras para perpetuar sus genes. Puede sonar ridículo e injusto, pero no pueden evitarlo. Los hombres son visuales. Las mujeres, por su parte, se sienten más atraídas por otras cualidades masculinas; por ejemplo, cómo las hacen sentir. ¿Alguna vez has notado que se ven muchos más hombres normalitos y poco atractivos con mujeres bellas, que lo contrario? ¡Exactamente! Nunca vamos a cambiar a nuestros hermanos "superficiales". Tenemos que aceptarlos como son y, de vez en cuando, ¡reírnos de esta situación tan absurda!

Pero, al mismo tiempo, no debes tirar la toalla sólo porque no te parezcas a Pamela Anderson. Yo tampoco, pero mi marido piensa que soy una "mujer de 10". Y la mayoría de los hombres están buscando una "mujer completa". Lo más importante es que tú te sientas bien contigo misma. Si ello significa ponerte en forma o mejorar tu apariencia, eso te ayudará a que los hombres te vean más atractiva.

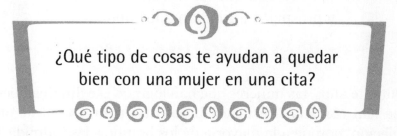

¿Qué tipo de cosas te ayudan a quedar bien con una mujer en una cita?

Hay unas cuantas cosas que puede hacer un hombre para sobresalir del resto de los competidores; y son muy sencillas. La caballerosidad puede parecer una cosa del pasado, pero a las mujeres les encantan los caballeros a la antigua. Podría parecerte una tontería que te lo mencione, pero muchos hombres, especialmente los más jóvenes, no piensan en ello. Chicos, acompañen a la dama hasta su coche. Esto le demuestra que son unos caballeros y que les importa su seguridad. Sobre este tema, escuché la historia de una mujer que estaba disfrutando de una cena con un hombre; realmente le gustó y lamentaba que la noche estuviera a punto de acabar. Salieron del restaurante para recoger los coches y él le preguntó: "¿Tienes tu boleto?". Pensando en que él quería pagar su estacionamiento, se lo mostró. Pero, en vez de tomarlo, él le dijo: "Bueno", ¡y se subió a su coche y arrancó! Al día siguiente se dio cuenta de lo que había hecho y la llamó por teléfono para ofrecerle una disculpa, pero ya le había dejado una impresión negativa. Pagar el boleto de estacionamiento a una dama significa mostrarse atento con ella, además de ser un detalle agradable.

Si simpatizaron por teléfono y estás ilusionado con la cita, anótate un punto llevándole flores o un pequeño regalo. Hazle un cumplido por su ropa o su peinado. Si haces esto, no hay forma de que te equivoques.

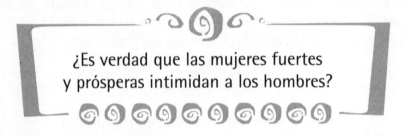

¿Es verdad que las mujeres fuertes y prósperas intimidan a los hombres?

Durante años, las mujeres que han logrado el éxito financiero me han contado que tienen problemas para encontrar una relación, porque a la mayoría de los hombres les intimida su éxito. No es el hecho de que la mujer gane mucho dinero. Los hombres que conozco lo valoran. Les gusta saber que la mujer no está intentando meter la mano en su cartera y que puede valerse por sí misma. Les gusta salir con una mujer inteligente y competente. El problema surge con mujeres fuertes, asertivas, independientes y exitosas cuando esas mismas características que las hacen tener éxito en el trabajo pueden hacer que fracasen en las relaciones. Al hombre le gusta sentir que él es quien está cazando. No te comportes en el mundo de las citas como lo haces en el de los negocios. Deja que ellos tomen la iniciativa. A los hombres les gusta sentirse necesarios y competentes. Puedes ganar todo el dinero que quieras, subir la escalera corporativa y ser muy dura como una roca en el trabajo, pero cuando estés con él, sé suave y femenina.

Si es tan maravilloso, ¿por qué está soltero?

Muchas veces, cuando llamo a una mujer para hablarle sobre un hombre que tengo en mente para ella, me dice: "Y si es tan maravilloso, ¿por qué está soltero?". ¡Caray, esta pregunta me saca de mis casillas! El que un hombre sea muy guapo, rico, dinámico y tenga un gran sentido del humor no garantiza que haya tenido tiempo de buscar a la mujer ideal o que ya la haya encontrado. Igualmente, tiene que pasar por el proceso de las citas, buscando y probando para encontrar a la pareja perfecta. Muchos hombres magníficos están demasiado ocupados. Si tienen éxito económico, es porque trabajan como mulas de carga. Cuando llega la noche, tal vez van al gimnasio, de ahí a su casa, se calientan una cena congelada, ven las noticias, se van a dormir, se levantan al día siguiente, y vuelven a empezar. De hecho, eso se parece mucho a mi vida (excepto la cena congelada). Todos estamos trabajando muy duro.

Cuando conocí a mi marido, él tenía cuarenta y un años y nunca había estado casado. Para mí era un lujo, pues yo ya había estado casada dos veces y tenía carga suficiente como para abrir una tienda de equipaje. Cuando se casó conmigo, él ya tenía cuarenta y tres años y yo me sentía muy especial porque varias mujeres habían intentado atraparlo a través de los años. Pero él me estaba esperando, y eso nos recuerda el tema del momento oportuno.

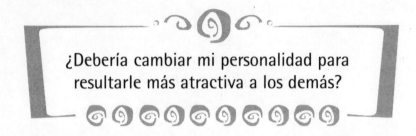

¿Debería cambiar mi personalidad para resultarle más atractiva a los demás?

Recuerdo un día que estaba en casa de una amiga. Su nombre era Mary. Vivía en el piso inferior de un dúplex. Su vecino de arriba era un médico soltero bastante atractivo, Dan, por quien ella estaba chiflada. Pero ese doctor salía con Greta. Mary se fijó en cómo se vestía y se comportaba ella. No la conocía, pero la veía entrar y salir de su departamento. Mary se imaginó qué tipo de mujer era Greta y que eso era lo que le interesaba a Dan. Mary llegó hasta a escuchar las conversaciones que se filtraban si acercaba la oreja a la pared.

Ella me comentó: "¡Greta parece tonta! Tal vez eso es lo que los hombres buscan. ¿Crees que debo cambiar mi personalidad? Tal vez por eso sigo soltera. Debería de actuar como una tonta o coquetear más. ¿Debería cambiar mi personalidad?".

Creí que me estaba volviendo loca. Le contesté: "¿Y cómo diablos vas a cambiar de personalidad para cada hombre que conozcas; y cómo vas a poder seguir fingiendo? ¡Sólo que tengas múltiples personalidades!". Aunque sí creo que hay ciertas cosas que todos podemos cambiar de nuestra personalidad para tener más oportunidades de empezar una relación. Por ejemplo, podemos aprender a no hablar demasiado de nuestras relaciones anteriores o a no intentar forzar una relación demasiado pronto. Pero tu personalidad es algo único y especial. Nadie más es igual a ti. El hombre indicado se va a enamorar de todo lo que tú tienes. ¿Recuerdas la canción de Billy Joel? "No cambies para intentar agradarme... ¡te amo tal y como eres!"

Algunas veces pesco a mi marido mirándome, y suele decirme: " ¡Eres un personaje muy interesante!". Y yo sólo le contesto: "Gracias". Sé que soy única y no me gustaría convertirme en alguien más. Alégrate de ser peculiar. ¡Celebra tu inteligencia, aprecia tu humor y muestra tu estilo!

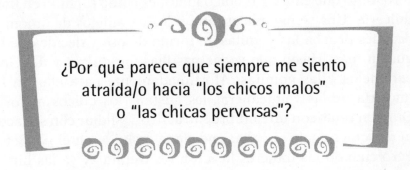

¿Por qué parece que siempre me siento atraída/o hacia "los chicos malos" o "las chicas perversas"?

Ya conoces el dicho: "La gente buena siempre sale perdiendo". Recuerdo que cuando estaba en mis veinte, cada vez que le decía a un hombre que era "bueno", se estremecía y me contestaba: "No digas eso. ¡Ser bueno no es bueno!". Y tenía razón. Cuando yo le decía a un hombre que era "bueno", lo que quería decir es que no estaba interesada en él de forma romántica. Recuerdo a unos cuantos chicos "buenos" que estaban locos por mí; y que hasta querían casarse conmigo; hombres buenos y decentes que me habrían tratado como a una reina y me habrían querido por siempre. Pero en esa época a mí no me gustaban los "chicos buenos". Me gustaban los "chicos malos". Mientras peor me trataban, más me interesaban. Si un tipo me dejaba plantada, no me llamaba cuando había quedado en hacerlo, me engañaba, me decía que estaba gorda, ¡lo único que yo quería era tenerlo para mí! ¡Lo hacía parecer tan inalcanzable y sexy que se convertía en todo un reto! Los hombres suelen hacer lo mismo con las mujeres que los tratan mal. Se convierte en una competencia para "conquistar" a esta belleza que parece inalcanzable.

"Los chicos malos" y "las chicas perversas" suelen ser casi siempre los más guapos y que tienen millones de chicos y chicas que andan tras ellos, y que rápidamente se dan cuenta de que no tienen por qué quedarse con nadie. Pueden salir con varias personas al mismo tiempo porque siempre habrá otro tonto que caiga. El "chico malo" es como un niño en una dulcería. Una semana le encantan los caramelos de limón, y después prueba las gomitas en forma de oso y decide que le gustan más. Hasta que ve las pastillas agridulces y deja los caramelos y las gomitas. Afortunadamente para ellos, a la mayoría de las veinteañeras les gustan "los chicos malos". Quieren estar con un hombre "atractivo", y lidiar con su faceta de "chico malo" es algo que viene incluido en el paquete. Pero cuando las mujeres llegan a los treinta –y ya las hirieron varias veces– empiezan a cambiar de gustos.

Con frecuencia, cuando le pregunto a las mujeres qué tipo de hombre quieren conocer, ellas me contestan: "Bueno, cuando tenía veintitantos me importaba mucho la apariencia, pero hoy en día sólo busco un hombre bueno y amable con quien pueda establecerme. La apariencia ya no es primordial. Quiero que me traten bien y me valoren". Y después, desde luego, las mujeres de más de cuarenta años buscan más un cierto nivel y estilo de vida que a alguien que se parezca a Brad Pitt. En cierto modo, ya aprendieron a valorar las cualidades más sensibles de las personas, en vez de cosas superficiales como la apariencia.

Me parece muy interesante que la mayoría de nosotros, hombres y mujeres, pasamos por la fase de permitir que nos traten no tan bien como merecemos. La baja autoestima juega un gran papel en ello. Pero también me di cuenta de que tras salir con tantos "chicos malos" durante años, cuando llegó mi marido finalmente estaba lista para un hombre genuinamente bueno; y pude apreciarlo porque tenía algo contra qué compararlo.

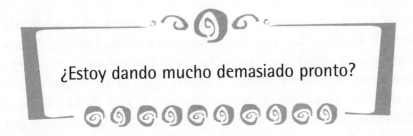

¿Estoy dando mucho demasiado pronto?

Dar mucho demasiado pronto es un gran error que cometen tanto los hombres como las mujeres en una relación. Al principio, hacer demasiado parece natural y divertido. ¿No se supone que debes hacer montones de cosas pequeñas para tu nuevo amor? ¿No se supone que debes hacer todo lo posible para demostrarle cuánto te importa y cuán especial y atento eres? ¡No! Por lo menos, no hasta que la relación llegue a cierto punto. Antes de eso, te arriesgas a sofocar a tu pareja mientras el amor apenas está floreciendo. Y debe suceder de manera natural.

Demasiado compromiso muy pronto demuestra desesperación. Si la persona está lista para renunciar a todos los demás sin que ni siquiera se lo pidan, esperando que esto le ayude a formar un lazo con la otra persona, sólo logra lo contrario. A menos de que lo hayan hablado y ambos decidan no salir con nadie más, nunca le digas que es el único en tu vida. Quieres aparentar estar ocupado y solicitado. Sé que esto puede verse como que estás jugando con él/ella, pero querer lo que no podemos tener o lo que vemos como un reto es parte de la naturaleza humana.

Tampoco le des mucha información sobre ti desde el principio. Cuéntale de ti poco a poco. No seas un libro abierto. Si tu pareja se entera por otras personas de ciertas cosas que hiciste o lograste, aumentará su interés y querrá saber más. Mantén un poco de misterio sobre ti.

Los regalos pueden hacer que un hombre se sienta incómodo. Una vez uno me dijo: "En el momento en que una mujer empieza a hacerme regalos, me siento presionado. Me parece que está necesitada y que está tratando de comprar el amor". Retrasa los regalos el mayor tiempo posible. Muéstrale que te importa de otras formas. Por ejemplo, prepárale una cena riquísima, llévalo a algún lugar si su coche está en el taller u ofrécete a recoger su correo si sale de la ciudad. Y si su cumpleaños es cuando están iniciando la relación, dale algo que no cueste mucho dinero. No intentes impresionarlo con lo que gastaste. Mejor impresiónalo con tu creatividad. Conozco a una mujer que no gana mucho, pero quería darle algo especial a su pareja. Entró a internet y encontró un parque de diversiones que tenía carreras de *go-carts* y un montón de atracciones que a él le gustaban. El boleto para un día costaba sólo 20 dólares, así que imprimió el anuncio del lugar y le hizo una tarjeta monísima con él, diciéndole que lo iba a llevar ahí a pasar el día.

Puedes entregarle todo cuando ambos hayan hecho un compromiso mutuo. Pero, aun entonces, sería bueno que siguieras manteniendo un poco de misterio. Seguirás pareciéndole interesante y seductor/seductora a tu pareja.

¿Un hombre no está enamorado si no recibo de él regalos románticos?

Ya había escuchado con anterioridad esta teoría y tuve la oportunidad de probarla con Mike, de Chicago. Nos habíamos estado viendo durante varios meses y pronto iba a ser mi cumpleaños. Pensé que se lo había mencionado en algún momento, pero no estaba segura de que lo recordara, ¡así que hice algo realmente tonto y tramposo! Tomé unas cuantas tarjetas de felicitación que me habían enviado el año anterior y puse cuatro o cinco en una mesita junto al sofá, para que él pensara que yo ya estaba recibiéndolas y se diera cuenta de que se acercaba mi cumpleaños. Pues llegó el día, y no sólo no recibí regalo, ¡ni siquiera me hizo una llamada! Fue como si lo hubiera ignorado a propósito. Me dejó impactada y ofendida. Unos tres días después, llegó con una caja envuelta y un gran moño rojo. "Siento mucho que ya haya pasado", me dijo tímidamente. "Es que no sabía qué comprarte." Me senté y abrí el regalo. "¡Ah, un tostador!", exclamé con una sonrisa congelada. "¡Qué bueno! ¡Gracias!" Él me dijo todo orgulloso: "Es un tostador para cuatro panes. Mira... ¡tiene una charola para recoger las migajas!".

Creo que no necesito decirte que no pasó mucho tiempo antes de que dejara de llamarme ¡y que la relación se esfumara! No le importaba lo suficiente para llamarme ni para venir a verme el día de mi cumpleaños, mucho menos para comprarme un regalo o una tarjeta romántica. Lo único que se le ocurrió fue comprarme un tostador, ¡y nada más y nada menos que tres días después! ¡Creo que me quiso insinuar que nuestra relación ya se estaba pasando de tueste!

Cuando un hombre está enamorado de ti y te ve como un romance, querrá demostrártelo en las ocasiones especiales. Buscará la manera de descubrir lo que te gusta y de demostrarte sus sentimientos. Cuando sales con alguien, los electrodomésticos no auguran amor.

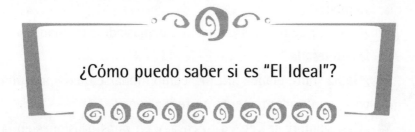

¿Cómo puedo saber si es "El Ideal"?

¡Hazte las siguientes preguntas para descubrir si esa persona está lista para *ti*!

- ❤ ¿Pasas mucho tiempo junto al teléfono, esperando a que te llame?

- ❤ ¿Salen mucho entre semana, digamos un lunes o un jueves, pero nunca los fines de semana?

- ❤ ¿Esa persona suele llamarte a media mañana, durante los comerciales de la tele, o tarde por la noche, cuando ya no es hora de salir?

- ❤ ¿Cuando te llama, te da excusas tontas por no haberte llamado antes, como: "He estado muy ocupado últimamente"?

- ❤ ¿Es "quisquilloso", cambia el tema o te ignora cuando intentas hablar sobre planes para el futuro?

- ❤ ¿Prefiere comunicarse contigo por correo electrónico que por teléfono?

- ❤ ¿Sus planes siempre incluyen algo que ella quiere hacer y después te dice: "Si quieres, puedes venir" (como si te estuviera concediendo un privilegio)?

- ❤ ¿Si le pides que te acompañe a algún evento especial te dice que "ya verá"?

- ❤ ¿Con frecuencia no te llama cuando quedó en hacerlo?

- ❤ Para verse, ¿tú tienes que tomar la iniciativa todo el tiempo?

- ❤ ¿Sientes que te estás esforzando demasiado para mantenerla interesada?

- ❤ ¿Habla sobre planes futuros, como mudarse o comprar una casa, que evidentemente no te incluyen?

- ❤ ¿Casi siempre se ven en tu casa, y en raras ocasiones en la de ella?

- ❤ ¿Está renuente a presentarte a sus amigos y a su familia?

- ❤ ¿Pasa por ti para salir o quedan de verse en el lugar?

💜 ¿Si habla por teléfono con sus amigos delante de ti, convenientemente no menciona el hecho de que está contigo cuando le preguntan qué está haciendo?

💜 ¿Te llama sobre todo muy tarde queriendo "verte"... en otras palabras: la conexión entre ustedes se basa sobre todo en "sexo sin ataduras"?

💜 ¿Suele "olvidar" su cartera cuando hay que pagar la cena?

Si contestaste que "sí" a dos o más de estas preguntas, es muy probable que esta persona no esté interesada en una relación a largo plazo, por lo menos no contigo. Si estás buscando a alguien para sentar cabeza, ¡es momento de dejarlo y seguir con tu vida! Hay gente que cree que si se queda lo suficiente, sólo es cuestión de tiempo para que esa persona "cambie" por el amor que está creciendo. Pero esto casi nunca sucede. Si sus acciones desde un principio no demuestran que le interesas, cuando se supone que debe hacer su mayor esfuerzo para impresionarte, lo más probable es que no cambie más adelante cuando dé por hecho tu devoción.

Hazte las preguntas anteriores al principio de cualquier relación para ayudarte a valorar si vale la pena seguir y que no pierdas el tiempo ni te arriesgues a que te rompan el corazón. Para protegerte, hasta que tu pareja te pida "exclusividad", siéntete libre de salir con más gente. ¡Sal, diviértete, conoce y experimenta con gente nueva! No apuestes todo a una sola carta. Si la otra persona siente que estás demasiado ansioso o desesperado o que sólo la estás esperando a ella, ¡correrá tan rápido como un pavo el Día de Navidad! Cuando todo está bien, no necesitas forzar nada. Sentirás que eso tenía que suceder, ¡porque es verdad!

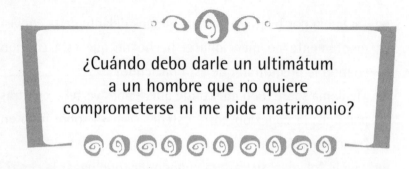

¿Cuándo debo darle un ultimátum a un hombre que no quiere comprometerse ni me pide matrimonio?

Si tu prioridad es el matrimonio, tómalo como tal. Si el hombre con el que estás saliendo parece poco interesado en comprometerse o te ha hecho comentarios negativos acerca del matrimonio, no te quedes a esperar que en algún momento cambie de opinión. El hombre con el que estaba saliendo antes de conocer a mi marido hacía exactamente eso. Sentía que nos llevábamos bien, que nos divertíamos y que había mucha pasión entre nosotros, pero solía hacer comentarios antimatrimonio cuando yo estaba presente. Hubo uno en particular que me enfureció. Estaba hablando por teléfono con un amigo que se casaba unas cuantas semanas después. Mark iba a ser su padrino. Él le decía: "Hey, John, todavía no es demasiado tarde para zafarte de esto, ¿sabes?". Y podría asegurar que John le respondía algo como: "¡Ah, no! ¡No me voy a arrepentir!". Y Mark seguía picándolo: "¿Estás seguro? ¡Vamos, no tienes por qué hacerlo!". Era muy extraño, además de ser una señal clara de hacia dónde iba nuestra relación: ¡a ningún sitio! Por lo tanto, no te quedes en el limbo. Tienes que hablar sobre tus planes de matrimonio. Si no aclaras tus objetivos desde el principio, es fácil que te enganches en la relación, y esto te dificulta dejarlo si él no quiere lo mismo que tú. Si ustedes dos no están en la misma frecuencia en cuanto al matrimonio, es mejor que rompan antes de que estén demasiado comprometidos emocionalmente en algo que no va hacia ningún sitio.

Apéndice A:
Afirmaciones

Mi "imán de atracción" está encendido poderosamente con vibraciones positivas emocionalmente cargadas, y yo atraigo lo que deseo hacia mi vida.

El amor se derrama hacia mi vida desde todas las esquinas del universo. Sé que soy amado.

Tengo muy claro el proceso para atraer todo lo que quiero en mi vida.

- ❤ Identificar lo que *no* quiero.
- ❤ Después, identificar lo que *sí* quiero.
- ❤ Visualizar lo que quiero.
- ❤ Esperar, escuchar y dejar que suceda.

No vivo en el pasado. Cada nuevo día me trae la posibilidad de obtener amor y bendiciones.

Todos los "no quiero" se desvanecen de mi conciencia. Expongo mis "sí quiero" claramente y con sentimientos poderosos tras ellos.

¡Mis "sí quiero" son grandes en calidad y cantidad! Constantemente estoy creando nuevos deseos.

Estoy a salvo. Constantemente estoy creando mi seguridad mediante mi flujo de energía.

¡Mantengo mis vibraciones durante todo el día! Mantengo alta mi frecuencia y mi válvula abierta. Las vibraciones bajas no son bienvenidas en mi campo de energía.

Estoy emocionado con mis "sí quiero". Siempre estoy escribiendo guiones nuevos y emocionantes que me hacen sentir cómodo y confiado.

Los errores no me molestan. Si me equivoco, corrijo el rumbo. Soy amable conmigo mismo.

Vivo en el presente con grandes expectativas para el futuro.

Nunca me rindo sobre lo que me parece importante. Si no juego, no puedo ganar.

No me afecta la energía negativa de otras personas. Sus pensamientos negativos no penetran mi campo energético.

Sé que mi alma gemela ya viene en camino.

Comienzo cada día con optimismo. Mi intención es que sucedan cosas maravillosas.

Siempre estoy abierto a nuevas ideas. Tengo la mente y el corazón abiertos.

Veo las cosas buenas de la gente y doy una oportunidad a las otras personas. Decido no juzgar.

Por medio de vibraciones, estoy atrayendo a mi pareja perfecta.

Tengo ideas creativas y maravillosas y a la gente le interesa lo que tengo que decir.

No le digo a nadie lo que no tengo. Me digo a mí mismo lo que tengo.

Tengo todo lo que necesito aquí y ahora. Estoy completo y lleno.

Cuido extremadamente bien a mi maravilloso ser.

Tengo mis propios intereses y pasatiempos. ¡Tener a mi alma gemela en mi vida es la cereza en el pastel!

Soy inteligente y capaz. La gente respeta mis sentimientos y opiniones.

Convierto cada reto en una oportunidad.

Merezco ser amado, y sé que soy encantador.

Liberarme no significa rendirme. Yo libero y dejo ir, sabiendo que mi máximo bien viene en camino.

Mantengo la visión de atraer a mi alma gemela hacia mi vida. Mi fe no flaquea.

Me libero de mi obsesión por encontrar a la persona correcta, a fin de poder conocer a la persona correcta.

Siempre estoy en el lugar correcto en el momento perfecto.

Merezco una relación sana y respetuosa.

Me trato con amabilidad y espero lo mismo de los demás.

Soy hermosa y un motivo de inspiración. Soy una obra de arte.

Me doy permiso de tener una relación llena de amor. ¡Me merezco lo mejor!

Las citas son divertidas y son una aventura. Veo cada nueva cita como una oportunidad de conocer a alguien nuevo e interesante.

Cuando me sintonizo, me enciendo y me siento bien, abro mi válvula mágica y permito que me inunde mi flujo de vibraciones altas.

Constantemente escribo nuevos guiones y pienso en ideas nuevas y frescas para atraer lo que quiero en la vida.

Disfruto el viaje tanto como la llegada. Me estoy divirtiendo en el camino para conocer a mi alma gemela.

Mi vida está libre de dramatismo. Estoy centrado y en paz.

La persona correcta llega en el momento correcto. El momento oportuno lo es todo.

Estoy rodeado de amor. Decido ver el amor.

El amor irradia de cada célula de mi cuerpo. Emito amor hacia el mundo, y se me regresa como en un espejo.

La persona correcta para mí aprecia mi singularidad y creatividad.

Sé que el universo me apoya completamente. Merezco todas las cosas buenas sólo por ser yo.

Soy especial y único. No hay nadie como yo.

Añade tus propias afirmaciones:

Apéndice B:
¿Cómo te puede ayudar una agencia de búsqueda de pareja a encontrar a tu alma gemela?

Hay muchas opciones para que encuentres a ese alguien especial. Con frecuencia, la gente que quiere un poco de ayuda busca una agencia de citas o una agencia de búsqueda de pareja. Y, ¿cuál es la diferencia entre las dos?

Una agencia de citas deja que sus miembros seleccionen a las personas con las que van a salir. Generalmente, reciben al mayor número de personas posibles y tú tienes que ir a su oficina para seleccionar a alguien a quien te gustaría conocer y que esté dispuesto a conocerte a ti. Debido a que siempre incluye fotos, por lo general un pequeño número de clientes "muy guapos" son los más seleccionados. Eso es maravilloso para ellos, pero hay muchas personas igual de maravillosas que son pasadas por alto.

En una agencia de búsqueda de pareja, personas profesionales son quienes te buscan pareja entre sus miembros. Realizan todo el trabajo, lo que es muy bueno para los profesionistas ocupados. En la reunión inicial, se sientan contigo para conocer tu personalidad, intereses y pasatiempos, y lo que quieres encontrar en una pareja. Después, tomando esto en cuenta, seleccionan a alguien que consideran compatible contigo para que lo conozcas. Basándose en tus criterios, eliminan a la gente que no te interesaría conocer. Además, los buscadores de parejas reciben comentarios invaluables de sus miembros tras la primera cita, que los ayudan a encontrar a un candidato perfecto. Naturalmente, yo que soy una buscadora profesional de parejas prefiero este servicio a una agencia de citas.

LA DIEZ RAZONES PRINCIPALES PARA UTILIZAR UNA AGENCIA DE BÚSQUEDA DE PAREJA

1. Las citas se someten a una revisión para que no pierdas tu tiempo junto a gente con la que no tienes nada en común. El servicio separa lo que no quieres e intenta compaginar lo que sí quieres (como valores basados en una fe, cierto rango de edad, ingresos, estilo de vida, etcétera).

2. Hoy en día los solteros tienen poco tiempo para conocer a otros solteros y salir con ellos. ¿Quién quiere pasar una noche con alguien que no le parece interesante? El servicio aumenta las probabilidades de que no malgastes el tiempo en citas inadecuadas.

3. El servicio es magnífico para las personas que acaban de llegar a cierta localidad. Si te acabas de cambiar, probablemente no sabes dónde conocer a los solteros adecuados, ni dónde encontrar un grupo al cual unirte, como organizaciones profesionales o iglesias. Una agencia puede contactarte con la mejor gente de tu nueva ciudad.

4. Estos días es difícil saber cuáles son los mejores lugares para

conocer gente. Tal vez no has encontrado a nadie con quien salir ni en tu iglesia, ni en el grupo de voluntarios, ni en tu grupo de rotarios. ¡Es momento de que localices una agencia de búsqueda de pareja para que te ayude a encontrarla!

5. Muchas personas se sienten incómodas al conocer a otros solteros en bares o lugares donde hay mucha gente. Claro que puedes encontrar personas "buenas" en los bares y los clubes, pero tienes que pasar por muchas malas experiencias para encontrar a alguien que te interese. ¿Para qué malgastar tu tiempo? Permite que una agencia de búsqueda de pareja seleccione por ti.

6. Hoy en día, salir con alguien sale caro. Está el costo del restaurante, estacionamiento, alcohol, ropa, propinas, etcétera. Aumenta más si salimos con gente no potencial. Utilizar una agencia de búsqueda de pareja puede ser más fácil y barato que salir a cientos de citas sin encontrar a la persona adecuada para ti.

7. Cuando conoces a alguien, siempre hay un proceso de "interrogatorio" en el que ambos hacen montones de preguntas para saber si son compatibles. Una agencia de búsqueda de pareja puede reducir de forma importante este proceso. ¿No te gustan las mascotas? El servicio lo eliminará de inmediato. No tendrás que salir con alguien sólo para averiguar que tiene cinco gatos en su casa.

8. Hoy en día, todos estamos ocupados, especialmente por trabajo. Con frecuencia, ¡sólo queremos irnos a casa, relajarnos en un sofá y ver la tele! Lógicamente, tenemos que salir si queremos conocer gente, pero si lo hacemos solos, ¡podemos regresar a casa una y otra vez deseando no haber salido! El tiempo es oro. Asegúrate de que cuando hagas el esfuerzo de salir sea con alguien preseleccionado por una agencia de búsqueda de

pareja y que, por lo tanto, lo más probable es que valga la pena haberte levantado de tu cómodo sofá.

9. Es difícil salir cuando eres tímido o precavido, especialmente si eres mujer. Cuando alguien se te acerca en un bar o en una reunión social, no sabes si puede estar casado o sólo busca "tener suerte". Las personas que conoces a través de una agencia de búsqueda de pareja están seleccionadas. Sabrás si su estado civil es nunca casado, divorciado o viudo. Tendrás la garantía de que están solteros y abiertos a salir con alguien.

10. En cuanto pasas de los veinte, se hace más difícil conocer gente de tu mismo rango de edad. Hay más gente casada o "viviendo una relación", y la oferta se reduce o, por lo menos, eso parece. Los servicios de búsqueda de pareja tienen una gran variedad de miembros de diferentes edades, y así tendrás acceso a las personas disponibles de tu mismo grupo de edad. Cuando Ellen, de treinta y ocho años, fue a una reunión de solteros de su iglesia, ¡se encontró con que era la única persona menor de sesenta! Tras inscribirse en una agencia de búsqueda de pareja, Ellen está conociendo hombres disponibles de su mismo grupo de edad.

SIETE COSAS QUE DEBES RECORDAR AL INSCRIBIRTE EN UNA AGENCIA DE BÚSQUEDA DE PAREJA

Existen buenos y malos servicios de búsqueda de pareja. Tu tiempo y tu dinero son invaluables; por lo tanto, antes de inscribirte, haz las preguntas pertinentes. No temas acudir a más de una hasta que encuentres una agencia que te dé confianza. Algunas cosas que debes ver son:

1. Compara precios. Tanto las agencias de citas como los servicios de búsqueda de pareja pueden ser caros, pero los hay para todos los presupuestos. Si una empresa se niega a darte el pre-

cio por teléfono, puedes asegurar que es cara, casi siempre hablamos de miles. Ten cuidado y asegúrate de comparar. La ventaja de escoger una agencia basada en cuotas es que puede rechazar a las personas que no estén buscando una relación seria y a largo plazo. Lo más probable es que alguien que esté dispuesto a pagar, esté buscando a su alma gemela. En algunas ciudades hay servicios de búsqueda de pareja que no les cobran a las damas, siempre que reúnan ciertos requisitos. Por lo general, estos servicios buscan mujeres que luzcan como modelos.

2. Asegúrate de que tengan miembros en tu zona de la ciudad. Muchos servicios insisten en que sus miembros conozcan a gente de otros municipios, ciudades, estados o hasta ¡países! La mayoría de las personas no están buscando una relación de larga distancia.

3. No te sientas presionado por vendedores agresivos. Las agencias de citas y los servicios de búsqueda de pareja son negocios. Quieren tu patrocinio. No dejes que te engatusen hasta que hayan respondido a todas tus preguntas de manera satisfactoria. Y no le hagas caso a un vendedor que te diga que el precio sólo es válido si te inscribes en ese momento. Esa es una táctica de ventas.

4. Pregunta cuánto tiempo llevan en el negocio y cuál es su historial comprobable. (Aunque si éste es malo, nunca lo van a admitir.) Ponte en contacto con la Oficina de Protección al Consumidor. Busca en tu localidad la oficina correspondiente para ver si hay quejas en su contra.

5. Si te inscribes, ¡lee tu contrato! Asegúrate de saber en qué te estás metiendo. La mayoría de las personas ni siquiera saben lo que firmaron.

6. Asegúrate de que te sientes cómodo con tu asesor en la búsqueda de pareja. Si no sientes que esta persona esté escuchando tus necesidades, no dudes en pedir que te lo cambien. Algunas veces otro tipo de personalidad puede llevarse mejor contigo.

7. Ten en cuenta que el servicio sólo puede presentarte a la gente que tiene en su base de datos. La mayoría de las empresas no van por fuera buscando a tu pareja ideal. Trabajan con la gente que tienen inscrita. Puedes decirles exactamente lo que estás buscando, pero si no lo tienen, no lo tienen. Además, nunca podrás saber cuántos miembros tienen en realidad, porque la mayoría de los servicios exageran en ese aspecto. Así que si eres demasiado específico –por ejemplo, quieres a alguien parecido a Brad Pitt, que mida más de uno ochenta, gane un millón al año, nunca se haya casado, no tenga hijos, quiera tener hijos, hable francés, adore los perritos Poodle y cocine– pues, ¡buena suerte!

Acerca de la autora

Marla nació en Tacoma, Washington, la "Ciudad del Destino". Nacida con un talento especial para la actuación, también tenía un gran interés en leer y escribir poesía y cuentos. A los dieciséis años vivía en Irán con su familia y estaba aprendiendo a hablar francés y persa. Durante la revolución de Irán, la familia de Marla regresó al estado de Washington, donde ella terminó el último año de preparatoria y realizó el primero de universidad.

Después se fue a vivir a Hollywood para intentar ser actriz. Hizo comerciales de televisión y modelaje para prensa. Al principio de los noventa se fue a vivir a Chicago, donde se dio cuenta de que podía utilizar su experiencia en las citas para ayudar a los demás. Ha estado trabajando en Los Ángeles como buscadora profesional de parejas desde 2001 ¡y ha presentado con éxito a muchas parejas que llegaron a casarse!

El trabajo de Marla inspira a la gente y les da la esperanza de que pueden encontrar a su alma gemela. Marla se casó en la ciudad de México en 2002. Viajera incansable y adepta a la cultura, Marla se describe como una persona con estilo francés, corazón persa, fuego italiano ¡y papilas gustativas mexicanas!